Shortcut for

Speaking *Thai*

 mIS. STUDIO

สำนักพิมพ์เอ็มไอเอส
Studio Lab *multimedia*

Shortcut for

Speaking *Thai*

ISBN	: 978-974-9764-27-5
Price	: U.S.A. $10
	: Canada $11
	: Thailand ฿350
First Published	: August 2007
Editor	: Chidpong Kaweeworawut
Writer	: Sutida Wimuttikosol
Layout Designer	: Atchara Taptimngam
Art Director	: Tharn Kornpipat
Proofreader	: Thomas K Languell,
	Dujduean Klankuwad,
	Sangtien Sawangjaitam,
	Busakorn Kuhlee

Published by : **MIS Publishing CO.,LTD.**
55,57 Soi Rama III Soi 53 Rama III Road, Bang Phong Phang, Yannawa, Bangkok, 10120 Thailand
Tel. +662-294-8777 (Auto Lines)
Fax. +662-294-8787
http://www.misbook.com

Distributed by : **SE-EDUCATION PUBLIC COMPANY LIMITED**
1858/87-90, Nation Tower 19th floor, Bangna-Trad Rd., Bangna, Bangkok, 10260 Thailand
Tel. +662-739-8222, +662-739-8000
Fax. +662-739-8356-9
http://www.se-ed.com

Preface

Welcome to **Shortcut for Speaking Thai**. This book and VCD set provide you a great start on speaking Thai. Through these 20 chapters, you will find yourself not only being able to speak Thai like a native but also getting closer to their culture. Each chapter focuses on a particular situation that you might face in your daily life in Thailand. Each one is complete in itself, so you don't have to study it succession. However, it is necessary that you read the introduction first, so that you can understand some linguistic differences between Thai and English. There are useful glossaries and other linguistic details available. They are helpful for speaking Thai correctly.

Each chapter is divided into 3 parts as following;

1) ***Model conversation*** exemplifies dialogues from the real situation. They are kind of ready-to-use conversational stocks which are very useful for you.

2) ***Useful expressions*** contain various expressions, picked up from the dialogues in the first part, and from other everyday conversations related to the subject of each chapter. Part of them can be alternated, according to particular occasions.

3) ***Vocabulary*** provides a wide range of glossaries that can be used in the situations given.

You will see that the pronunciation given in this book don't exactly follow the international phonetic symbols. They are aimed to be easily perceived and pronounced. We are grateful for the useful and practical tables from *www.into-asia.com* which uses English words to demonstrate Thai pronunciation. The tables are in the introduction as well.

Thai people are very proud of their own language. Thus, to be able to speak Thai is quite like another step to cross the invisible border between cultures. In the least, you will be able to avoid misunderstanding, and often, to protect yourself from being cheated or taken advantages of. Certainly, we cannot say that it is easy. You need to work really hard and consistently.

Your achievement is our goal. We hope this pack can make your challenging task easier.

Now, enjoy your self-study!

Editorial Team

Editor Talk

Publishing inexpensive and easy to understand supplementary aids for learners are my determination. Therefore, this aid is made to fulfill my tendency. My another expectation is to impart knowledge to everyone who wants to learn. Even though some subjects are rarely taught in schools since they are regarded as general knowledge.

I do hope that this supplementary aid will enable interested persons to enhance their skills in particular subjects. If you'd like to comment, please contact : chidpong@hotmail.com We appreciate every comment and are willing to improve our works for the learners' satisfaction. Also, if instructors or skillful persons in any fields would like to join our aid production, please contact me directly at 08-1838-8714.

Chidpong Kaweeworawut

Editor

Contents

VCD Contents

Disc 1

- Welcome to Shortcut for Speaking Thai
- Introduction?
- How are you.
- Nice to meet you.
- I have to go now.
- Where do you stay?
- What do you do?

Disc 2

- Are you free tonight?
- Is this your first time in Thailand?
- It's terribly hot here.
- What time is it?
- What's your hobby?
- What would you like to have?
- Can you lower the price?

Disc 3

- I'd like 2 tickets to Pattaya, please.
- Help me! I'm lost.
- Is there a vacant room?
- Can you take a picture for me?
- I've lost my wallet.
- What's the problem?
- I'd like to sent this parcel to London.
- I'd like to open a new account, please.

Introduction

Shortcut for Speaking Thai

Introduction

In order to understand and use the Thai language properly, foreigners are required to know a few linguistic differences between Thai and English as follows:

1. Thai; the tonal language

In the Thai language, there are 5 levels of tone. Foreigners ought to be careful about easily mispronouncing words which may lead to miscommunication. For example, the word "wai", pronounced in different intonation can mean; "quick", "prolong", "sensitive" and even the gesture of Thai greeting that comes with the famous **"Sawaddee"**. However, the context can be a great help. If the mistake is not too severe, Thai people can recognize the familiar sounds which suit the context.

2. The level of meaning of words

Different word choice can make enormously misleading connotation in Thai. There are many words, for instance, that mean "to eat", ranging from common usage to polite, impolite, or even rude, to the dignified words preserved for the royal family.

3. The missing subject

In English, people have to say in full sentence, including subject, verb and, in many cases, object. It is acceptable but not popular in Thai. Thai people usually omit the subject and begin the sentence with the verb (because there is no law of agreement and conjugation in their language). For example, the phrase "Where have you been?" can be said in Thai; **"Pai-năi-mah?"** or "Where have been?" in English.

4. "Khráhb" and "Khàh" after sentences

These 2 words indicate politeness in Thai culture. The first one is for men, while the second one is for women. Adding them after sentences make the conversation smoother and more pleasing.

5. Men and Women's first person singular
pronoun

Just like the words **"Khráhb"** and **"Khàh"**, it is polite to use the pronoun **"Phŏhm"** for the male "I", and **"Dì-chăhn"** for the female "I", instead of saying **"Chăhn"** which is a neutral word for "I".

Fortunately, Thai language has no conjugation, and the modifiers always come after the words they modify. Thus, it is very easy for foreigners to create sentences if they know vocabulary.

For instance, if these words are given, sentences can be easily constructed.

ฉัน	กิน	ข้าว	ผัด	กับ	หล่อน	เมื่อวาน
chăhn	kin	khâo	phàhd	kàhb	lòn	mêu-a-wahn
I	eat	rice	fried	with	she	yesterday.

☝ ฉัน กิน ข้าว
I ate rice.

☝ ฉัน กิน ข้าว ผัด
I ate fried rice.

☝ ฉัน กิน ข้าว ผัด กับ หล่อน
I ate fried rice with her.

☝ ฉัน กิน ข้าว ผัด กับ หล่อน เมื่อวาน
I ate fried rice with her yesterday.

☝ หล่อน กิน ข้าว
She ate rice.

☝ หล่อน กิน ข้าว ผัด
She ate fried rice.

☝ หล่อน กิน ข้าว ผัด กับ ฉัน
She ate fried rice with me.

☝ หล่อน กิน ข้าว ผัด กับ ฉัน เมื่อวาน
She ate fried rice with me yesterday.

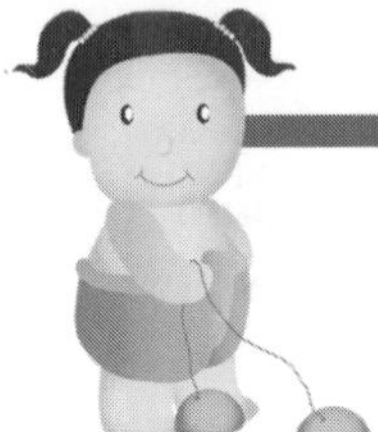

Pronunciation Table

Consonant Pronunciation

b	(บ)	As in **b**ack.
ch	(ฉ), (ช), (ฌ)	As in **ch**air.
d	(ด), (ฎ)	As in **d**own.
f	(ฝ), (ฟ)	As in **f**ood.
h	(ห), (ฮ)	As in **h**oliday.
j	(จ)	As in **j**ust.
k	(ก)	As in s**k**ill.
kh	(ข), (ค), (ฆ)	As in **k**ill.
l	(ล), (ฬ)	As in **l**emon.
m	(ม)	As in **m**an.
n	(น), (ณ)	As in **n**ever.
ng	(ง)	As in si**ng**. This is a difficult sound because, unlike in English, it can come at the start of words as well as at the end e.g. *ngern* (money). Practice by saying words like 'singing' without the *si* in front.
p	(ป)	As in s**p**oon
ph	(ผ), (พ), (ภ)	As in **p**ine.
r	(ร)	As in **r**ed.
s	(ซ), (ส), (ศ), (ษ)	As in **s**eat.
t	(ต), (ฏ)	As in s**t**udy.
th	(ฐ), (ถ), (ท), (ฑ), (ธ), (ฒ)	As in **t**ake.
w	(ว)	As in **w**indow.
y	(ย), (ญ)	As in **y**es.

Vowel Pronunciation

a	(แ - ะ), (แ -)	As in f**a**n.
ah	(ั), (- ะ), (- า)	Like the *ar* sound in p**ar**k.
ahm	(-ํา)	As in n**um**ber
ai	(ไ -), (ใ -)	As in Th**ai**. This can be a long or a short sound, unlike in English.
air	(แ - ะ), (แ -)	As in h**air**. This can be a long or a short sound, unlike in English.
ao	(เ - า)	As in L**ao**. This can be a long or a short sound, unlike in English.
ay	(เ -)	As in d**ay**. This can be a long or a short sound, unlike in English.
e	(เ – ะ), (เ –)	As in p**e**n.
ee	(ี)	As in s**ee**n.
er	(เ - อะ), (เ – อ)	As in lett**er**, but pronounced with a lot more emphasis than you would in English - it's more like lett**er.** This can be a long or a short sound, unlike in English.
eu	(ึ), (ื)	There is no English equivalent to this sound. The closest is the sound of revulsion **eugh** ! This can be a long or a short sound, unlike in English.
eu-a	(เ ื อะ), (เ ื อ)	There is no English equivalent to this sound. It is pronounced the same as *eu* above, but with *a* sound after.
i	(ิ)	As in b**i**n.
ia	(เ ี ยะ), (เ ี ย)	Like the *ear* sound in n**ear,** but without the *r* sound. This can be a long or a short sound, unlike in English.
o	(เ – าะ), (- อ)	As in g**o**ne.
oh	(โ - ะ), (โ -)	As in g**o**.
oo	(ู)	As in sh**oo**t
oi		Like the *oy* sound in t**oy**.
or	(เ - าะ), (- อ)	Like the *aw* sound in d**aw**n. This can be a long or a short sound, unlike in English.
u	(ุ)	As in L**u**ke, not the *u* in b**u**n. This is the short equivalent to the long *oo* sound.
ua	(ั วะ), (ั ว)	There is no real equivalent to this sound in English, but it is approximately similar to the *ewer* sound in br**ewer**. This can be a long or a short sound, unlike in English.

Symbols for tonal pronunciation

There are five basic tones in Thai. They range from the lowest level of pitch to 4 levels higher.

Symbols	Tone	Thai Tonal Forms
-	a common tone	- สามัญ
à	a rising tone	่ เอก
â	an acute tone	้ โท
á	a deep tone	๊ ตรี
ǎ	a falling tone	๋ จัตวา

พยัญชนะ และ สระ
(Consonants and Vowels)

Thai language has 44 consonants and 32 vowels as follows;

Consonants

Two of them are not used anymore, so we will just omit them here.

ก	ข	ค	ฆ	ง	จ	ฉ	ช	ซ
ฌ	ญ	ฎ	ฏ	ฐ	ฑ	ฒ	ณ	ด
ต	ถ	ท	ธ	น	บ	ป	ผ	ฝ
พ	ฟ	ภ	ม	ย	ร	ล	ว	ศ
ษ	ส	ห	ฬ	อ	ฮ			

Vowels

Following here are frequently seen 'vowel forms'.

-ะ	-า	-ิ	-ี	-ึ	-ื	-ุ
-ู	โ-ะ	โ-	แ-ะ	แ-	เ-ะ	เ-
เ-ียะ	เ-ีย	เ-ือะ	เ-ือ	-ำ	ใ-	ไ-
เ-า	-ัวะ	-ัว	เ-าะ	-อ	เ-อะ	เ-อ

สรรพนาม
(Pronouns)

ประธาน (Subjects) / กรรม (Objects)

You can use the same words to indicate both subjects and objects in Thai.

Thai	Pronunciation	English
ผม, ดิฉัน, ฉัน, เรา	*phŏhm, dì-chăhn, chăhn, rao*	I, me
คุณ, เธอ	*khun, ther*	You
เรา	*rao*	We, us
พวกเขา	*phûak-khăo*	They, them
เขา	*khăo*	He, him
หล่อน, เธอ	*lòn, ther*	She, her
มัน	*mahn*	It

**To make them possessive pronouns, just add the word 'ของ' (khŏng), which means 'of', before the pronouns.

ตัวเลข
(Number)

Number	Thai	Pronunciation	English
1	หนึ่ง	*nèung*	one
2	สอง	*sǒng*	two
3	สาม	*sǎhm*	three
4	สี่	*sèe*	four
5	ห้า	*hâh*	five
6	หก	*hòhk*	six
7	เจ็ด	*jèd*	seven
8	แปด	*phàd*	eight
9	เก้า	*kâo*	nine
10	สิบ	*sìb*	ten
11	สิบเอ็ด	*sìb-èd*	eleven
12	สิบสอง	*sìb-sǒng*	twelve
13-19	สิบสาม-สิบเก้า	You just add the single digit <u>after</u> the word 'sìb' like when you put them before 'teen' in English.	thirteen - nineteen
20	ยี่สิบ	*yêe-sìb*	twenty
21	ยี่สิบเอ็ด	*yêe-sìb-èd*	twenty-one
30-90	สามสิบ-เก้าสิบ	Just add the single digit <u>before</u> the word 'sìb' like when you put them before 'ty' in English.	thirty-ninety
100	หนึ่งร้อย	*nèung-rói*	one hundred
1,000	หนึ่งพัน	*nèung-phahn*	one thousand
10,000	หนึ่งหมื่น	*nèung-mèun*	ten thousand
100,000	หนึ่งแสน	*nèung-sǎn*	one hundred thousand
1,000,000	หนึ่งล้าน	*nèung-láhn*	one million

** It's very easy. Just remember 1-9 and put them before the indication of these digit *(sìb=10, rói=100, phahn=1,000, mèun=10,000 săn=100,000, láhn=1,000,000)* except for the single digit number that you just merely say the number without any indication. Like in English, the greater number comes before the lesser one.

Ex. 25,000 = สองหมื่นห้าพัน (sŏng-mèun-hâh-phahn)
  702 = เจ็ดร้อยสอง (jèd-rói-sŏng)
  93 = เก้าสิบสาม (kâo-sìb-săhm)

วัน และ เดือน
(Day and Month)

<u>Day</u>

Thai	Pronunciation	English
วันอาทิตย์	wahn-ah-thíd	Sunday
วันจันทร์	wahn-jahn	Monday
วันอังคาร	wahn-ahng-khahn	Tuesday
วันพุธ	wahn-phúd	Wednesday
วันพฤหัสบดี	wahn-phréu-hàhd (sàh-bor-dee)	Thursday
วันศุกร์	wahn-sùk	Friday
วันเสาร์	wahn-săo	Saturday

Month

Thai	Pronunciation	English
มกราคม	máh-kàh-rah-khohm	January
กุมภาพันธ์	kum-phah-phahn	February
มีนาคม	mee-nah-khohm	March
เมษายน	may-sǎh-yohn	April
พฤษภาคม	phréud-sphah-khohm	May
มิถุนายน	mí-thù-nah-yohn	June
กรกฎาคม	kàh-ráh-kàh-dah-khohm	July
สิงหาคม	sǐng-hǎh-khohm	August
กันยายน	kahn-yah-yohn	September
ตุลาคม	tù-lah-khohm	October
พฤศจิกายน	phréu-sàh-jì-kah-yohn	November
ธันวาคม	thahn-wah-khohm	December

สถานที่
(Places)

Thai	Pronunciation	English
สถานีตำรวจ	*sàh-thǎh-nee-tahm-rùad*	police station
โรงพยาบาล	*rohng-phah-yah-bahn*	hospital
โรงแรม	*rohng-ram*	hotel
โรงหนัง	*rohng-nǎhng*	cinema
ห้าง	*hâhng*	mall
ซอย	*soi*	lane
ถนน	*thàh-nǒhn*	road
หมู่บ้าน	*mòo-bâhn*	village

ลักษณนาม
(Classifiers)

It is notable that when Thai people talk about the amount of things, they usually add the 'classifier' after the number. For example, if you say '3 elephants', they will say 'Chárng 3 cheŭ-ak' (literally = elephant 3 body).
The structure is …

Noun + number + classifier

Other frequently used classifiers are as follows :

Classifiers	Pronunciation	Things indicated
ตัว	*tua*	clothes, pets
แผ่น	*phàn*	paper
ห้อง	*hông*	rooms
ใบ	*bai*	buckets, tickets
เครื่อง	*khrêu-ang*	power tools
วัน	*wahn*	days
เดือน	*deu-an*	months
ปี	*pee*	years
คน	*khohn*	people
เล่ม	*lêm*	books
กล่อง	*klòng*	boxes, parcels
คัน	*khahn*	cars, umbrellas
ขบวน	*khàh-buan*	trains
ลำ	*lahm*	boats, planes

≣ สบายดีไหมครับ?
(Sàh-bai-dee-măi-khráhb?)

🇬🇧 **How are you?**

Shortcut for Speaking Thai

สบายดีไหมครับ?
(Sàh-bai-dee-mǎi-khráhb?)
How are you?

Greetings are a basic but very important element in building a relationship. This chapter tells you how to greet in Thai. After saying hello, you can keep your conversation going by asking another one's condition.

ตัวอย่างบทสนทนา (**Model Conversation**)

A:	สวัสดีครับ คุณมานี
	(Sàh-wàhd-dee-khráhb Khun-Mah-nee)
	Good morning/ Good afternoon/ Good evening, Manee.
B:	สวัสดีค่ะ คุณไมค์ สบายดีไหมคะ?
	(Sàh-wàhd-dee-khàh Khun-Míke Sàh-bai-dee-mǎi-kháh?)
	Good morning/ Good afternoon/ Good evening, Mike. How are you?
A:	สบายดีครับ ขอบคุณ แล้วคุณล่ะ?
	(Sàh-bai-dee-khráhb Khòb-khun Láw-khun-làh?)
	I'm fine, thank you. And you?
B:	สบายดีค่ะ ขอบคุณค่ะ
	(Sàh-bai-dee-khàh Khòb-khun-khàh)
	I'm fine, thank you.

** Unlike in English greeting, time is not important in Thai. You can use "Sàh-wàhd-dee" at anytime and in both formal and informal greetings.

Useful Expressions

สบายดีไหม? *Sàh-bai-dee-măi?* How are you?	ราตรีสวัสดิ์ *Rah-tree-sàh-wàhd* Good night.
ขอบคุณ *Khòb-khun* Thank you.	ฝากสวัสดี ... ด้วย *Fàhk-sàh-wàhd-dee-.....-dûay* Please say hello to ....
แล้วคุณล่ะ? *Láw-khun-làh?* And you?	

Vocabulary

Thai	English
ดี *dee*	good
สบายดี *sàh-bai-dee*	fine
ไม่สบาย *mâi-sàh-bai*	not fine
เรื่อยๆ *rêu-ay-rêu-ay*	so so
อย่างไร *yàhng-rai*	how?
หรือไม่ *rěu-mâi*	or not?

≡ ยินดีที่ได้รู้จักครับ

(Yin-dee-thêe-dâi-róo-jàhk-khráhb)

Nice to meet you.

Shortcut for Speaking Thai

ยินดีที่ได้รู้จักครับ

(Yin-dee-thêe-dâi-róo-jàhk-khráhb)

Nice to meet you.

These are how you can formally and informally introduce yourself and your colleague to other people.

ตัวอย่างบทสนทนา (Model Conversation) 1

A:	สวัสดีครับ ผมชาลีครับ
	(Sàh-wàhd-dee-khráhb Phŏhm-Chah-lee-khráhb)
	Hello, my name is Charlie.
B:	สวัสดีค่ะ ดิฉันวรรณาค่ะ
	(Sàh-wàhd-dee-khàh Dì-chăhn-Wahn-nah-khàh)
	Hello, I'm Wanna.
A:	ยินดีที่ได้รู้จักครับ
	(Yin-dee-thêe-dâi-róo-jàhk-khráhb)
	Nice to meet you.
B:	ยินดีที่ได้รู้จักค่ะ
	(Yin-dee-thêe-dâi-róo-jàhk-khàh)
	Nice to meet you, too.

ตัวอย่างบทสนทนา (Model Conversation) 2

A:	คุณบราวน์คะ ดิฉันขอแนะนำคุณสมศรี เลขาคนใหม่ของเราค่ะ
	(Khun-Brown-kháh Dì-chǎhn-khǒr-náir-nahm-khun-Sǒhm-srǐ Lay-khǎh-khohn-mài-khǒng-rao-khàh)
	Mr. Brown, I'd like you to meet Ms. Somsri, our new secretary.
A:	คุณสมศรีคะ นี่คุณบราวน์ ผู้จัดการของเราค่ะ
	(Khun-Sǒhm-srǐ-kháh Nêe-khun-Brown Phôo-jàhd-kahn-khǒng-rao-khàh)
	Ms. Somsri, this is Mr. Brown, our manager.
B:	สวัสดีครับ ยินดีที่ได้รู้จักครับ
	(Sàh-wàhd-dee-khráhb Yin-dee-thêe-dâi-róo-jàhk-khráhb)
	Good morning. How do you do?
C:	สวัสดีค่ะ ยินดีที่ได้รู้จักค่ะ
	(Sàh-wàhd-dee-khàh Yin-dee-thêe-dâi-róo-jàhk-khàh)
	Good morning, sir. I'm glad to meet you.

Useful Expressions

ผมขอแนะนำ ...	เช่นกัน
Phǒhm-khǒr-náir-nahm...	*Chên-kahn*
I'd like to introduce ...	Me too.

ผม/ ดิฉันชื่อ ...	คุณชื่ออะไร?
Phǒhm/ Dì-chǎhn-chêu ...	*Khun-chêu-àh-rai?*
My name is ...	What's your name?

ยินดีที่ได้รู้จัก
Yin-dee-thêe-dâi-róo-jàhk
I'm glad to meet you.

In informal introduction, you can simply say…

| เจี๊ยบ นี่หมู
Jíab Nêe-Mǒo | Jiab, this is Moo. |
| หมู นี่เจี๊ยบ
Mǒo Nêe-Jíab | Moo, this is Jiab. |

Vocabulary

Thai	English
ชื่อ *chêu*	name
นามสกุล *nahm-sàh-kun*	surname
ชื่อเล่น *chêu-lên*	nickname
เพื่อน *phêu-an*	a friend
ยินดี *yin-dee*	glad
รู้จัก *róo-jàhk*	to know (but in this case, we mean 'to meet')
พบ *phóhp*	to meet
แนะนำ *náir-nahm*	to introduce
เลขา *lay-khǎh*	a secretary
ใหม่ *mài*	new
ผู้จัดการ *phôo-jàhd-kahn*	a manager

≡ ผมต้องไปแล้ว

(Phŏhm-tông-pai-láw)

🇬🇧 **I have to go now.**

Shortcut for Speaking Thai

ผมต้องไปแล้ว
(Phŏhm-tông-pai-láw)
I have to go now.

In the following conversation, a party has just ended. A person is saying goodbye to the host. You can study how to say goodbye here.

<u>ตัวอย่างบทสนทนา (Model Conversation)</u>

A:	วันนี้สนุกมาก ขอบคุณมากครับ
	(Wahn-née-sàh-nòok-mâhk Khòb-khun-mâhk-khráhb)
	It was really fun today. Thank you very much.
B:	วันหลังมาอีกเมื่อไหร่ก็ได้นะคะ
	(Wahn-lăhng-mah-èek-mêu-a-rài-kôr-dâi-náh-kháh)
	Feel free to visit here again whenever you like.
A:	ขอบคุณครับ
	(Khòb-khun-khráhb)
	Thank you.
B:	ฝากสวัสดีที่บ้านคุณด้วยนะคะ
	(Fàhk-sàh-wàhd-dee-thêe-bâhn-khun-dûay-náh-kháh)
	Please say hello to your family for me.
A:	แน่นอนครับ ผมต้องไปแล้ว ลาก่อนครับ
	(Nâir-non-khráhb Phŏhm-tông-pai-láw Lah-kòn-khráhb)
	Sure, I have to go now. Goodbye.
B:	ลาก่อนค่ะ แล้วเจอกัน
	(Lah-kòn-khàh Láw-jer-kahn)
	Goodbye. See you later.

<u>Useful Expressions</u>

ลาก่อน *Lah-kòn* Goodbye.	ราตรีสวัสดิ์ *Rah-tree-sàh-wàhd* Good night.
แล้วเจอกัน *Láw-jer-kahn* See you.	ดูแลตัวเองดีๆ นะ *Doo-lair-tua-eng-dee-dee-náh* Take good care of yourself.
คุณก็เหมือนกัน *Khun-kôr-mĕu-an-kahn* The same to you.	

<u>Vocabulary</u>

Thai	English
วันนี้ *wahn-née*	today
สนุก *sàh-nòok*	fun
มาก *mâhk*	many, much
วันหลัง *wahn-lăhng*	another day
อีก *èek*	again
เมื่อไหร่ก็ได้ *mêu-a-rài-kôr-dâi*	whenever
แน่นอน *nâir-non*	sure, certainly
ไป *pai*	to go
ดูแล *doo-lair*	take care
เหมือน *mĕu-an*	same
ครอบครัว *khrôb-khrua*	a family

≡ คุณพักที่ไหน?

(Khun-pháhk-thêe-nǎi?)

🇬🇧 **Where do you stay?**

Shortcut for Speaking Thai

คุณพักที่ไหน?

(Khun-pháhk-thêe-năi?)

Where do you stay?

The model conversation in this chapter exemplifies the living places and the way you can ask and answer about places and the amount of time you will spend in Thailand.

<u>ตัวอย่างบทสนทนา (Model Conversation)</u>

A:	คุณพักที่ไหนคะ?
	(Khun-pháhk-thêe-năi-kháh?)
	Where do you stay?
B:	ผมพักอยู่ที่เกสต์เฮ้าส์ ตรงถนนพระอาทิตย์ครับ
	(Phŏhm-pháhk-yòo-thêe-guest-house Trohng-thàh-nŏhn-phráh-ah-thíd -khráhb)
	I'm staying at the guest house on Sun Road.
A:	ที่พักเป็นอย่างไรบ้างคะ?
	(Thêe-pháhk-pen-yàhng-rai-bâhng-kháh?)
	How is it?
B:	สะดวกสบายดีครับ
	(Sàh-dùak-sàh-bai-dee-khráhb)
	It's comfortable.
A:	แล้วคุณจะอยู่ที่นี่นานเท่าไหร่คะ?
	(Láw-khun-jàh-yòo-thêe-nêe-nahn-thâo-rài-kháh?)
	How long will you stay here?
B:	คงจะอยู่ราวๆ เดือนเมษายนปีหน้า
	(Khohng-jàh-yòo-rahw-rahw-deu-an-may-săh-yohn-pee-nâh)
	Maybe until next April.
A:	อีกนานทีเดียวนะคะ ถ้าอย่างนั้น ดิฉันคิดว่าคุณน่าจะเช่าอพาร์ทเม้นต์อยู่แทนนะคะ
	(Èek-nahn-thee-diaw-náh-kháh Tâh-yàhng-náhn Dì-chăhn-khíd-wâh-khun-nâh-jàh-châo-apartment-yòo-than-náh-kháh)
	That's quite long. If it is so, I think you should rent an apartment instead.

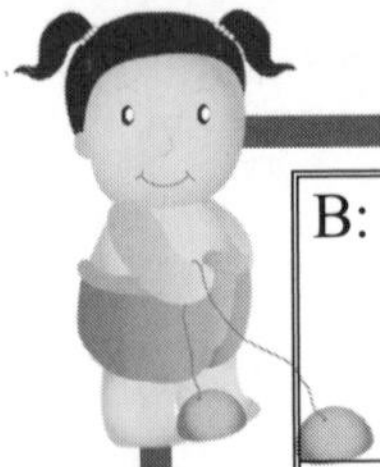

B:	เหรอครับ ทำไมคุณถึงคิดอย่างนั้น?
	(Rĕr-khráhb Thahm-mai-khun-thĕung-khíd-yàhng-náhn?)
	Really? Why do you think so?
A:	เพราะว่ามันประหยัดกว่ามากเลยน่ะสิคะ
	(Phrór-wâh-mahn-pràh-yàhd-kwàh-mâhk-lery-nàh-sì-kháh)
	That's because it is much more economical.
B:	เป็นความคิดที่ดีนะครับ แล้วผมจะลองดู
	(Pen-khwahm-khíd-thêe-dee-náh-khráhb Láw-phŏhm-jàh-long-doo)
	That's a good idea. I'll try.

<u>Useful Expressions</u>

2 important verbs, used to talk about living places

อยู่ *yòo*	to live (permanent)
พัก *pháhk*	to stay (temporary)

คุณพักที่ไหน? *Khun-pháhk-thêe-năi?* Where are you staying?	คุณอยู่ที่ไหน? *Khun-yòo-thêe-năi?* Where do you live?

ฉันพักที่ ... *Chăhn-pháhk-thêe…* I'm staying at …	โรงแรม *rohng-ram* hotel
	เกสต์เฮ้าส์ *guest-house* guest house
	บ้านเพื่อน* *bâhn-phêu-an* my friend's house

*The word underlined will be replaced by the name of a person or his/her relationship with you.

ฉันอยู่ที่... *Chăhn-yòo-thêe...* I live in …	บ้าน *bâhn* (my) house
	ทาวน์เฮ้าส์, แฟลต, คอนโดมิเนียม, อพาร์ทเม้นต์ *the pronunciation is just like in English* town house, flat, condominium, apartment

คุณจะอยู่ที่นี่นานเท่าไหร่?
Khun-jàh-yòo-thêe-nêe-nahn-thâo-rài?
How long will you stay here?

ฉันจะอยู่ที่นี่จนถึง ... *Chăhn-jàh-yòo-thêe-nêe-jon-thĕung ...* I will stay here until…	พรุ่งนี้ *phrûng-née* tomorrow
	มะรืนนี้ *máh-reun-née* the day after tomorrow
	วันจันทร์หน้า *wahn-jahn-nâh* next Monday (the day)
	อาทิตย์หน้า *ah-thíd-nâh* next week
	เดือนหน้า *deu-an-nâh* next month
	ปีหน้า *pee-nâh* next year
	วันที่หนึ่ง *wahn-thêe-nèung* the first
	เดือน มกราคม *deu-an-máh-kàh-rah-khohm* January (the month)

**The word “nâh”, which literally means “face”, means “next” here.

ฉันจะอยู่ที่นี่เป็นเวลา … *Chăhn-jàh-yòo-thêe-nêe-* *pen-way-lah…* I will stay here <u>for</u> …	<u>หนึ่งวัน</u> *nèung-wahn* <u>a</u> day
	<u>หนึ่งอาทิตย์</u> *nèung-ah-thíd* <u>a</u> week
	<u>หนึ่งเดือน</u> *nèung-deu-an* <u>a</u> month
	<u>หนึ่งปี</u> *nèung-pee* <u>a</u> year

**The words underlined are variable.

□ ผมคิดว่าคุณน่าจะ...

   Phŏhm-khíd-wâh-khun-nâh-jàh…

   I think you should…

□ ทำไมคุณถึงคิดอย่างนั้น?

   Thahm-mai-khun-thĕung-khíd-yàhng-náhn?

   Why do you think so?

□ เป็นความคิดที่ดี

   Pen-khwahm-khíd-thêe-dee

   That's a good idea.

□ แล้วผมจะลองดู

   Láw-phŏhm-jàh-long-doo

   I'll try.

□ คุณอยู่กับใคร?

   Khun-yòo-kàhb-khrai?

   Who do you live with?

□ ผมอยู่กับ ...

   Phŏhm-yòo-kàhb…

   I live with …

26

Vocabulary

Thai	English
ที่ไหน *thêe-nǎi*	where?
ถนน *thàh-nǒhn*	a road
ที่พัก *thêe-pháhk*	temporary living places
สะดวกสบาย *sàh-dùak-sàh-bai*	comfortable
นานเท่าไหร่ *nahn-thâo-rài*	how long
ราวๆ *rahw-rahw*	about
จนถึง *john-thěung*	until
เป็นเวลา *pen-way-lah*	for
ทีเดียว *thee-diaw*	quite (It literally means "only one time")
เช่า *châo*	rent
แทน *than*	instead
ทำไม *thahm-mai*	why?
ประหยัด *pràh-yàhd*	economical
ความคิด *khwahm-khíd*	an idea
ลอง *long*	to try

บุคคล (person)

Thai	English
เพื่อน *phêu-an*	a friend
พี่ชาย *phêe-chai*	an older brother
น้องชาย *nóng-chai*	a younger brother
พี่สาว *phêe-săo*	an older sister
น้องสาว *nóng-săo*	a younger sister
ญาติ *yâhd*	relatives
ลูกพี่ลูกน้อง *lôok-phêe-lôok-nóng*	a cousin
แฟน *fan*	a boyfriend, a girlfriend
คู่หมั้น *khôo-mâhn*	a fiancé, a fiancée
สามี *săh-mee*	a husband
ภรรยา *phahn-rah-yah*	a wife
เพื่อนร่วมงาน *phêu-an-rûam-ngahn*	a colleague

☰ คุณทำงานอะไร?

(Khun-thahm-ngahn-àh-rai?)

🇬🇧 What do you do?

Shortcut for Speaking Thai

คุณทำงานอะไร?
(Khun-thahm-ngahn-àh-rai?)
What do you do?

Here are vocabularies of occupations, and a model conversation, guiding you to ask and answer people about your job, and to comment on it as well.

ตัวอย่างบทสนทนา (Model Conversation)

A:	คุณทำงานอะไรครับ คุณเจี๊ยบ?
	(Khun-thahm-ngahn-àh-rai-khráhb Khun-Jíab?)
	What do you do, Jiab?
B:	ดิฉันเป็นประชาสัมพันธ์ค่ะ
	(Dì-chăhn-pen-pràh-chah-săhm-phahn-khàh)
	I'm a public relations.
A:	ทำงานที่ไหนครับ?
	(Thahm-ngahn-thêe-năi-khráhb?)
	Where do you work?
B:	ดิฉันทำงานที่บริษัทท่องเที่ยวมาลีค่ะ
	(Dì-chăhn-thahm-ngahn-thêe-bor-ri-sàhd-thông-thîaw-Mah-lee-khàh)
	I work at Malee travel agency.
A:	งานเป็นอย่างไรบ้างครับ?
	(Ngahn-pen-yàhng-rai-bâhng-khráhb?)
	How about your job?
B:	สนุกมากเลยค่ะ ดิฉันได้ประสบการณ์ดีๆ มากมายจากที่นี่
	(Sàh-nòok-mâhk-lery-khàh Dì-chăhn-dâi-pràh-sòhb-kahn-dee-dee-mâhk-mai-jàhk-thêe-nêe)
	It's very fun. I got many good experiences from here.

A:	ฟังดูน่าสนใจมากเลยนะครับ
	(Fahng-doo-nâh-sŏhn-jai-mâhk-lery-náh-khráhb)
	It sounds very interesting.
B:	ใช่ค่ะ แล้วคุณล่ะคะ คุณเจฟ?
	(Châi-khàh Láw-khun-làh-kháh Khun-Jeff?)
	Yes, it is. What about you, Jeff?
A:	ผมเป็นวิศวกรครับ
	(Phŏhm-pen-wít-sàh-wáh-korn-khráhb)
	I'm an engineer.
B:	โอ้ ฟังดูท้าทายจังเลยค่ะ
	(Ôh-fahng-doo-tháh-thai-jahng-lery-khàh)
	Oh, that sounds challenging.

Useful Expressions

❑ คุณทำงานอะไร?
Khun-thahm-ngahn-àh-rai?
What do you do?

❑ ผมเป็น ...
Phŏhm-pen...
I'm … (your occupation)

❑ คุณทำงานที่ไหน?
Khun-thahm-ngahn-thêe-năi?
Where do you work?

❑ ผมทำงานที่ ...
Phŏhm-thahm-ngahn-thêe...
I work at …

Talking about jobs or activities

ฟังดู ... *Fahng-doo...* It sounds…	น่าสนใจ *nâh-sŏhn-jai* interesting
	ท้าทาย *tháh-thai* challenging
	น่าเบื่อ *nâh-bèu-a* Boring
	เจ๋ง *jĕng* excellent
	อันตราย *ahn-tàh-rai* dangerous

Vocabulary

Thai	English
ทำงาน *thahm-ngahn*	to work
บริษัท *bor-ri-sàhd*	agency, company
ท่องเที่ยว *thông-thîaw*	travel
สนุก *sàh-nòok*	fun
ประสบการณ์ *pràh-sòhb-kahn*	experience
น่าสนใจ *nâh-sŏhn-jai*	interesting
ท้าทาย *tháh-thai*	challenging

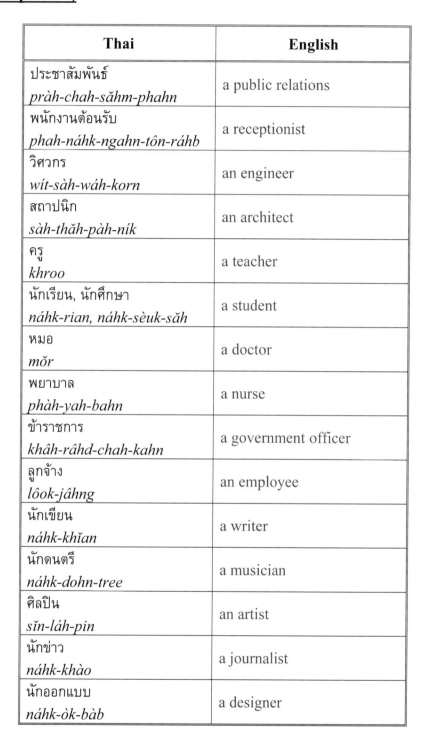

อาชีพ (occupations)

Thai	English
ประชาสัมพันธ์ *pràh-chah-sǎhm-phahn*	a public relations
พนักงานต้อนรับ *phah-náhk-ngahn-tôn-ráhb*	a receptionist
วิศวกร *wít-sàh-wáh-korn*	an engineer
สถาปนิก *sàh-thǎh-pàh-ník*	an architect
ครู *khroo*	a teacher
นักเรียน, นักศึกษา *náhk-rian, náhk-sèuk-sǎh*	a student
หมอ *mǒr*	a doctor
พยาบาล *phàh-yah-bahn*	a nurse
ข้าราชการ *khâh-râhd-chah-kahn*	a government officer
ลูกจ้าง *lôok-jâhng*	an employee
นักเขียน *náhk-khǐan*	a writer
นักดนตรี *náhk-dohn-tree*	a musician
ศิลปิน *sǐn-láh-pin*	an artist
นักข่าว *náhk-khào*	a journalist
นักออกแบบ *náhk-òk-bàb*	a designer

Thai	English
ช่างภาพ *châhng-phâhb*	a photographer
นักวิทยาศาสตร์ *náhk-wíd-thah-yah-sàhd*	a scientist
เลขา *lay-khǎh*	a secretary
ช่างพิมพ์ดีด *châhng-phim-dèed*	a typist
เกษตรกร *kah-sèd-trah-kon*	a farmer
ล่าม *lâhm*	an interpreter

≡ คืนนี้คุณว่างไหม?

(Kheun-née-khun-wâhng-măi?)

🇬🇧 Are you free tonight?

Shortcut for Speaking Thai

คืนนี้คุณว่างไหม?

(Kheun-née-khun-wâhng-măi?)

Are you free tonight?

This chapter will guide you to both formal and informal invitation. It shows you how to accept and politely refuse the invitation as well.

ตัวอย่างบทสนทนา (Model Conversation) 1

A:	สวัสดีครับ คืนนี้คุณว่างไหมครับ?
	(Sàh-wàhd-dee-khráhb Kheun-née-khun-wâhng-măi-khráhb?)
	Hello. Are you free tonight?
B:	ว่างค่ะ ทำไมหรือคะ?
	(Wâhng-khàh Thahm-mai-rĕu-kháh?)
	Yes, why?
A:	ไปดูหนังด้วยกันไหมครับ?
	(Pai-doo-năhng-dûay-kahn-măi-khráhb?)
	Would you like to go to the cinema with me?
B:	ได้ค่ะ
	(Dâi-khàh)
	O.K.
A:	ถ้างั้น ผมจะไปรับคุณตอน 6 โมงเย็นนะครับ รอนะครับ
	(Thâh-ngáhn Phŏhm-jàh-pai-ráhb-khun-ton-hòhk-mohng-yen-ná-khráhb Ror-náh-khráhb)
	Well. I'll pick you up at 6 o'clock. Please wait for me.
B:	ค่ะ
	(Khàh)
	Certainly.

ตัวอย่างบทสนทนา (Model Conversation) 2

A:	คุณชาลี จะไปไหนคะ?
	(Khun-Chah-lee Jàh-pai-năi-kháh?)
	Charlie, where are you going?
B:	ไปสยามครับ
	(Pai-Sàh-yăhm-khráhb)
	I'm going to Siam.
A:	ฉันก็เหมือนกัน ไปด้วยกันไหมคะ?
	(Chăhn-kôr-mĕu-an-kahn Pai-dûay-kahn-măi-kháh?)
	So am I. Shall we go together?
B:	อืม เป็นความคิดที่ดี
	(Eum Pen-khwahm-khíd-thêe-dee)
	Well, that's a good idea.

ตัวอย่างบทสนทนา (Model Conversation) 3

A:	เสาร์นี้คุณว่างไหม? ไปทะเลกันเถอะ
	(Săo-née-khun-wâhng-măi? Pai-tháh-lay-kahn-thèr)
	Are you free on this Saturday? Let's go to the sea.
B:	ฉันอยากไปจริงๆ ค่ะ แต่ฉันมีงานเยอะแยะเลย ฉันเสียใจจริงๆ ค่ะ
	(Chăhn-yàhk-pai-jing-jing-khàh Tàir-chăhn-mee-ngahn-yér-yáir-lery Chăhn-sĭa-jai-jing-jing-khàh)
	I'd really like to, but I have plenty of work. I'm so sorry.
A:	ไม่เป็นไร ไว้ค่อยไปกันวันหลังนะ
	(Mâi-pen-rai Wái-khôi-pai-kahn-wahn-lăhng-náh)
	Never mind. We can make it in another day.
B:	แน่นอนค่ะ
	(Nâir-non-khàh)
	Sure.

Useful Expressions

□ ...คุณว่างไหมครับ?

...(date/time)... -khun-wâhng-măi-khráhb?
Are you free on …(Saturday)…?
Are you free at …(six o'clock)...?

□ ไป......ด้วยกันไหมครับ?

Pai-...-dûay-kahn-măi-khráhb?
Would you like to go to … with me?
Shall we go to … together?

□ ไป...กันเถอะ

Pai-....-kahn-thèr
Let's go to ….

□ ถ้างั้น ...

Thâh-ngáhn …
If so, …
Well, …

□ รอนะครับ

Ror-náh-khráhb
Please wait for me.

□ ผมก็เหมือนกัน

Phŏhm-kôr-měu-an-kahn
So am I.

□ กี่โมงล่ะ?

Kèe-mohng-làh?
What time?

□ ไว้ค่อยไปกันวันหลัง

Wái-khôi-pai-kahn-wahn-lăhng
We can make it in another day.

Ways to accept invitations

นั่นเป็นความคิดที่ดี *Nâhn-pen-khwahm-khíd-thêe-dee*	That's a good idea.
ยอดเลยครับ *Yôd-lery-khráhb*	That would be wonderful.
ขอบคุณ ผมอยากไป *Khòb-khun Phŏhm-yàhk-pai*	Thank you. I'd love to.
ตกลง *Tòhk-lohng*	O.K.

Ways to refuse invitations

เสียใจครับ เกรงว่าจะไม่ได้ *Sĭa-jai-khráhb Kreng-wâh-jàh-mâi-dâi* I'm sorry. I'm afraid I can't.

ผมอยากไปจริงๆ แต่ ... *Phŏhm-yàhk-pai-jing-jing tàir ...* I'd really like to but …	ผมงานเยอะมาก *Phŏhm-ngahn-yér-mâhk* I have plenty of work.
	ผมยังทำการบ้านไม่เสร็จ *Phŏhm-yahng-thahm-kahn-bâhn-mâi-sèd* I haven't finished my homework yet.
	ผมไปไม่ได้ *Phŏhm-pai-mâi-dâi* I can't.

Vocabulary

Thai	English
ว่าง *wâhng*	free, available
คืนนี้ *kheun-née*	tonight
ดู (หนัง) *doo-(năhng)*	to see (the movie)

Thai	English
โรงหนัง *rohng-nǎhng*	cinema
ไปรับ *pai-ráhb*	to pick up
คอย *khoi*	to wait
ไป *pai*	to go
ด้วยกัน *dûay-kahn*	together
ดี *dee*	good
ความคิด *khwahm-khíd*	idea
ทะเล *tháh-lay*	sea
จริงๆ *jing-jing*	really
แต่ *tàir*	but
งาน *ngahn*	work
มากมาย/ เยอะแยะ *mâhk-mai/ yér-yáir*	plenty
เสียใจ *sǐa-jai*	sorry
ไม่เป็นไร *mâi-pen-rai*	never mind
แน่นอน *nâir-non*	sure

มาเมืองไทยเป็นครั้งแรกหรือเปล่า?

(Mah-meu-ang-thai-pen-khráhng-râk-rĕu-plàhw?)

Is this your first time in Thailand?

Shortcut for Speaking Thai

มาเมืองไทยเป็นครั้งแรกหรือเปล่า?

(Mah-meu-ang-thai-pen-khráhng-râk-rěu-plàhw?)

Is this your first time in Thailand?

You might be asked about your trip to Thailand. Here, you will learn various questions you may face, and the way to answer.

ตัวอย่างบทสนทนา (Model Conversation)

A:	สวัสดีค่ะ คุณจอห์น คุณมาเมืองไทยเป็นครั้งแรกหรือเปล่าคะ?
	(Sàh-wàhd-dee-khàh Khun-John Khun-mah-meu-ang-thai-pen-khráhng-râk-rěu-plàhw-kháh?)
	Hello, John. Is this your first time in Thailand?
B:	ไม่ใช่ครับ มาครั้งที่ 2 แล้ว
	(Mâi-châi-khráhb Mah-khráhng-thêe-sǒng-láw)
	No, it isn't. This is my second time.
A:	เหรอคะ แล้วคุณมาถึงตั้งแต่เมื่อไหร่คะ?
	(Rěr-kháh Láw-khun-mah-thěung-tâhng-tàir-mêu-a-rài-kháh?)
	Really? When did you arrive here?
B:	ตั้งแต่เมื่อวานซืนครับ
	(Tâhng-tàir-mêu-a-wahn-seun-khráhb)
	The day before yesterday.
A:	การเดินทางเป็นอย่างไรบ้างคะ?
	(Kahn-dern-thahng-pen-yàhng-rai-bâhng-kháh?)
	How was your trip?
B:	ก็ดีครับ
	(Kôr-dee-khráhb)
	Rather good.

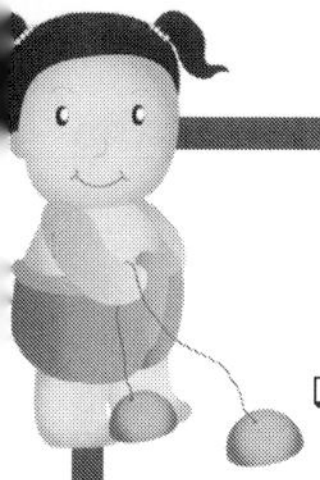

Useful Expressions

❑ มาเมืองไทยเป็นครั้งแรกหรือเปล่า?

Mah-meu-ang-thai-pen-khráhng-râk-rěu-plàhw?
Is this your first time in Thailand?

❑ นี่เป็นครั้งแรก

Nêe-pen-khráhng-râk
This is my first time.

❑ นี่เป็นครั้งที่ ...

Nêe-pen-khráhng-thêe ...
This is my ... time.

ตั้งแต่ ...	เมื่อวาน
Tâhng-tàir ...	*mêu-a-wahn*
Since ...	yesterday
	เมื่อวานซืน
	mêu-a-wahn-seun
	the day before yesterday
	อาทิตย์ที่แล้ว
	ah-thíd-thêe-láw
	last week
	เดือนที่แล้ว
	deu-an-thêe-láw
	last month
	ปีที่แล้ว
	pee-thêe-láw
	last year
	วันที่ หนึ่ง
	wahn-thêe nèung
	(tell the date) the first

Ways to tell the quality or impression

ดี *dee*	good
ก็ดี *kôr-dee*	rather good
ไม่ค่อยดี *mâi-khôi-dee*	not so good
ไม่แย่นัก *mâi-yâir-náhk*	not too bad
แย่ *yâir*	bad
แย่มาก *yâir-mâhk*	terrible

Vocabulary

Thai	English
ครั้ง *khráhng*	times
เหรอ *rěr*	really?
ตั้งแต่ *tâhng-tàir*	since
ที่แล้ว, ที่ผ่านมา *thêe-láw, thêe-phàhn-mah*	last
การเดินทาง *kahn-dern-thahng*	trip
เมื่อไหร่ *mêu-a-rài*	when?
อย่างไร *yàhng-rai*	how?

อากาศที่นี่ร้อนเหลือเกิน

(Ah-kàhd-thêe-nêe-rón-lěu-a-kern)

It's terribly hot here.

Shortcut for Speaking Thai

อากาศที่นี่ร้อนเหลือเกิน

(Ah-kàhd-thêe-nêe-rón-lĕu-a-kern)

It's terribly hot here.

The weather in Thailand is not always in direct proportion with the season. This chapter will enable you to talk about the weather; this is useful small talk.

ตัวอย่างบทสนทนา (Model Conversation)

A:	คุณชินกับความเป็นอยู่ในกรุงเทพฯ หรือยังคะ?
	(Khun-chin-kàhb-khwahm-pen-yòo-nai-krung-thêp-rĕu-yahng-kháh?)
	Are you getting used to living in Bangkok?
B:	ยังไม่ชินเลยครับ อากาศที่นี่ร้อนเหลือเกิน
	(Yahng-mâi-chin-lery-khráhb Ah-kàhd-thêe-nêe-rón-lĕu-a-kern)
	No, not yet. It's terribly hot here.
A:	จริงด้วยค่ะ อากาศที่นี่ร้อนมาก โดยเฉพาะหน้าร้อน
	(Jing-dûay-khàh Ah-kàhd-thêe-nêe-rón-mâhk Dohy-chàh-phór-nâh-rón)
	Yes, it is. It's very hot, especially in the summer.
B:	ช่วงนี้เป็นหน้าร้อนใช่ไหมครับ?
	(Chûang-née-pen-nâh-rón-châi-măi-khráhb?)
	Is this summer time?
A:	ไม่ใช่หรอกค่ะ ช่วงนี้เป็นหน้าหนาวต่างหาก
	(Mâi-châi-ròk-khàh Chûang-née-pen-nâh-năhw-tàhng-hàhk)
	No, it isn't. We are in a winter.
B:	อะไรนะ โอ ไม่อยากจะเชื่อเลย
	(Àh-rai-náh O-mâi-yàhk-jàh-chêu-a-lery)
	What? Oh, that's unbelievable!

Useful Expressions

❑ ชินกับ ... หรือยัง?

Chin-kàhb-...-rĕu-yahng?

Are you getting used to…?

อากาศที่นี่ ... *Ah-kàhd-thêe-nêe...* The weather here is …	ร้อน *rón* hot
	อบอุ่น *òhb-ùn* warm
	เย็น *yen* cool
	หนาว *năhw* cold
	ร้อนชื้น *rón-chéun* muggy

Seasons in Thailand

ฤดูร้อน *réu-doo-rón*	summer
ฤดูแล้ง *réu-doo-láng*	dry season
ฤดูฝน *réu-doo-fŏn*	rainy season
ฤดูหนาว *réu-doo-năhw*	winter

❑ ไม่อยากจะเชื่อเลย

Mâi-yàhk-jàh-chêu-a-lery

That's unbelievable.

Vocabulary

Thai	English
ชิน *chin*	to get used to
อยู่ *yòo*	to live
ยัง *yahng*	not yet
แล้ว *láw*	already
จริง *jing*	true
มาก *mâhk*	much, many
เหลือเกิน *lĕu-a-kern*	too much, terribly
โดยเฉพาะ *dohy-chàh-phór*	especially
ช่วงนี้ *chûang-née*	this moment
หน้า... *nâh*	season
It actually means 'face', but here it is a colloquial of 'réu-doo'	
เชื่อ *chêu-a*	believe

กี่โมงแล้ว?

(Kèe-mohng-láw?)

What time is it?

Shortcut for Speaking Thai

กี่โมงแล้ว?

(Kèe-mohng-láw?)

What time is it?

After practicing this chapter, you will be able to ask and talk about time, both specific and approximate. Time is very significant for daily conversations, such as talking about the office hours, and making an appointment.

<u>ตัวอย่างบทสนทนา (Model Conversation) 1</u>

A:	ขอโทษนะคะ ตอนนี้กี่โมงแล้วคะ?
	(Khŏr-thôhd-náh-kháh Ton-née-kèe-mohng-láw-kháh?)
	Excuse me, what time is it?
B:	6 โมง 15 นาทีครับ คุณมีนัดตอน 1 ทุ่มไม่ใช่เหรอ?
	(Hòhk-mohng-sìb-hâh-nah-thee-khráhb Khun-mee-náhd-ton-nèung-thûm-mâi-châi-rěr?)
	It's six-fifteen. You have an appointment at seven o'clock, don't you?
A:	ใช่ค่ะ เหลือเวลาอีก 45 นาที คุณคิดว่าดิฉันจะไปทันไหมคะ?
	(Châi-khàh Lěu-a-way-lah-eèk-sèe-sìb-hâh-nah-thee Khun-khíd-wâh-dì-chăhn-jàh-pai-than-măi-kháh?)
	Yes, I do. It's 45 minutes left. Do you think I can make it?
B:	ถ้าไปรถไฟฟ้าก็ทันครับ แค่ 10 นาทีก็ถึงแล้ว
	(Thâh-pai-ród-fai-fáh-kôr-than-khráhb Khâir-sìb-nah-thee-kôr-thĕung-láw)
	I think so, if you go by BTS. You can get there within 10 minutes.
A:	จริงด้วยค่ะ ถ้างั้นฉันไปนะคะ
	(Jing-dûay-khàh Thâh-ngáhn-chăhn-pai-náh-kháh)
	That's right. Well, I have to go now.

ตัวอย่างบทสนทนา (Model Conversation) 2

A:	คุณเข้างานกี่โมงคะ?
	(Khun-khâo-ngahn-kèe-mohng-kháh?)
	When do you begin your office hours?
B:	9 โมงเช้าครับ
	(Kâo-mohng-cháo-khráhb)
	9 a.m.
A:	แล้วเลิกงานกี่โมงคะ?
	(Láw-lêrk-ngahn-kèe-mohng-kháh?)
	And when do you finish your work?
B:	6 โมงเย็นครับ ผมพักตอนเที่ยงถึงบ่าย 1
	(Hòhk-mohng-yen-khráhb Phǒm-pháhk-ton-thîang-thěung-bài-nèung)
	6 p.m. I have a break at noon to 1 p.m.
A:	แสดงว่าคุณว่างตอนเที่ยง แล้วก็หลังจาก 6 โมงเย็นไปแล้วใช่ไหมคะ?
	(Sah-dang-wâh-khun-wâhng-ton-thîang Láw-kôr-lǎhng-jàhk-hòhk-mohng-yen-pai-láw-châi-mǎi-kháh?)
	That means you are free at noon and after 6 o'clock, right?
B:	ถูกต้องครับ
	(Thòok-tông-khráhb)
	That's right.

Useful Expressions

- คุณมีนัดตอน…ไม่ใช่เหรอ?
  Khun-mee-náhd-ton-…-mâi-châi-rěr?)
  You have an appointment at …, don't you?

- เหลือเวลาอีก… นาที
  Lěu-a-way-lah-eèk-…-nah-thee
  It's … minutes left.

□ คุณคิดว่าผมจะไปทันไหม?

Khun-khíd-wâh-phŏhm-jàh-pai-than-măi?
Do you think I can make it?

□ ผมว่าคุณคงไปไม่ทันหรอก

Phŏhm-wâh-khun-khohng-pai-mâi-than-ròk
I don't think you can make it.

□ แค่ ... นาที ก็ถึงแล้ว

Khâir-...-nah-thee-kôr-thĕung-láw
You can make it within … minutes.

□ ผมไปล่ะนะ

Phŏhm-pai-làh-náh
I must go now.

□ คุณ...กี่โมง?

Khun-...-kèe-mohng?
When do you …?

□ แสดงว่า...

Sah-dang-wâh ...
That means …

Talking exactly about time

ตี 1-5 1.00 – 5.00 a.m.	*tee-nèung-thĕung-tee-hâh*
6-11 โมงเช้า 6.00 – 11.00 a.m.	*hòhk-thĕung-sìb-èd-mohng-cháo*
เที่ยงตรง 12.00 p.m.	*thîang-trohng*
บ่าย 1-3 1.00-3.00 p.m.	*bài-nèung-thĕung-bài-săhm*
4-6 โมงเย็น 4.00-6.00 p.m.	*sèe-thĕung-hòhk-mohng-yen*
1-5 ทุ่ม 7.00-11.00 p.m.	*nèung-thĕung-hâh-thûm*
เที่ยงคืน 12.00 a.m.	*thîang-kheun*

Talking approximately about time

สายๆ *săi-săi*	~ 9.00-11.59 a.m.
เที่ยงๆ *thîang-thîang*	around 12.00-12.59 p.m.
บ่ายๆ *bài-bài*	~ 1.00-3.59 p.m.
เย็นๆ *yen-yen*	~ 4.00-6.30 p.m.
ค่ำๆ *khâhm-khâhm*	~ 6.31-9.00 p.m.
ดึกๆ *dèuk-dèuk*	~ 10.00-11.59 p.m.

*The time here is very flexible. It chiefly depends on other elements, such as the weather, the light, and the speaker's feeling.

Vocabulary

Thai	English
กี่ *kèe*	how many
โมง *mohng*	the common term to say 'o'clock' in day time
ทุ่ม *thûm*	the common term to say 'o'clock' in night time
นัด *náhd*	(v.) to arrange an appointment, (n.) an appointment
เหลือ *lĕu-a*	to have something left
ไปทัน *pai-thahn*	to be on time

ภายใน *phai-nai*	within
เริ่ม *rêrm*	to begin
เสร็จ *sèd*	to finish
พัก *pháhk*	to have a break, to rest
ว่าง *wâhng*	free, available
หลังจาก *lăhng-jàhk*	after

เวลา (time)

วินาที *wí-nah-thee*	second
นาที *nah-thee*	minute
ชั่วโมง *chûa-mohng*	hour
ครึ่งชั่วโมง *khrêung-chûa-mohng*	half an hour

งานอดิเรกของคุณคืออะไร?
(Ngahn-àh-di-rèk-khǒng-khun-khue-àh-rai?)

What's your hobby?

Shortcut for Speaking Thai

งานอดิเรกของคุณคืออะไร?
(Ngahn-àh-di-rèk-khŏng-khun-khue-àh-rai?)
What's your hobby?

Besides being used as another small talk, conversation about hobbies is a way to learn more about other people. Probably, you can make friends with persons who have the same interest as you.

ตัวอย่างบทสนทนา (Model Conversation)

A:	งานอดิเรกของคุณคืออะไร จอย?
	(Ngahn-àh-di-rèk-khŏng-khun-khue-àh-rai Joy?)
	What's your hobby, Joy?
B:	ฉันเล่นเปียโนค่ะ
	(Chăhn-lên-piano-khàh)
	I play piano.
A:	จริงเหรอ? ผมรักดนตรีคลาสสิค
	(Jing-rěr? Phŏhm-ráhk-dohn-tree-classic)
	Really? I love classical music.
B:	ฉันก็เหมือนกัน แล้วฉันก็ชอบแจ๊สด้วย แล้วคุณล่ะ? คุณชอบเล่นดนตรีไหมคะ?
	(Chăhn-kôr-měu-an-kahn Láw-chăhn-kôr-chôb-jázz-dûay Láw-khun-làh? Khun-chôb-lên-dohn-tree-măi-kháh?)
	So do I, and I also love jazz. What about you?
	Do you like to play music?
A:	ไม่ชอบครับ
	(Mâi-chôb-khráhb)
	No, I don't.
B:	แล้วเวลาว่างคุณทำอะไรคะ?
	(Láw-way-lah-wâhng-khun-thahm-àh-rai-kháh?)
	What do you do in your free time?

A:	ผมเล่นเทนนิส
	(Phŏhm-lên-tennis)
	I play tennis.
B:	ฟังดูดีเชียว คุณชอบใครล่ะ?
	(Fahng-doo-dee-chiaw Khun-chôb-khrai-làh?)
	That sounds great. Who is your idol?
A:	แน่อยู่แล้ว ผมชื่นชมร็อดดิค แต่หลงรักชาราโปวา
	(Nâir-yòo-láw Phŏhm-chêun-chohm-Roddick Tàir-lŏhng-ráhk-Sharapova)
	Of course, I admire Roddick, but I love Sharapova.
B:	กะไว้แล้วเชียว!
	(Kàh-wái-láw-chiaw!)
	That's so predictable!

Useful Expressions

- คุณชอบ...หรือเปล่า?
  Khun-chôb-...-rŭe-plào?
  Do you like ...?

- เข้าใจล่ะ
  Khâo-jai-làh
  I see.

- เวลาว่างคุณทำอะไร?
  Way-lah-wâhng-khun-thahm-àh-rai?
  What do you do in your free time?

- ฟังดูดีเชียว
  Fahng-doo-dee-chiaw
  That sounds great.

- กะไว้แล้วเชียว!
  Kàh-wái-láw-chiaw!
  That's so predictable!

Vocabulary

Thai	English
รัก *ráhk*	to love, to adore
เล่น *lên*	to play
ดนตรี *dohn-tree*	music
ชื่นชม *chêun-chohm*	to admire
ทำนาย *thahm-nai*	to predict

ประเภทงานอดิเรก : Hobbies

Thai		English
เล่น<u>ดนตรี</u> *lên-dohn-tree*		to play music
- เปียโน	-	a piano
- กีต้าร์	-	a guitar
- เบส	-	a bass
- กลอง	*klong*	a drum
- คีย์บอร์ด	-	a keyboard
- หีบเพลงปาก	*hèep-phleng-pàhk*	a harmonica
- ดนตรีไทย	*dohn-tree-thai*	Thai musical Instruments

Thai		English
เล่นกีฬา *lên-kee-lah*		to play sports
- เทนนิส	-	tennis
- แบดมินตัน	-	badminton
- ฟุตบอล	-	football
- ปิงปอง	*ping-pong*	table-tennis
- วอลเลย์บอล	-	volleyball
- บาสเก็ตบอล	-	basketball
- ฟิตเนส	-	fitness
* - ว่ายน้ำ	*wâi-náhm*	to swim
* You say it without the word 'lên', just like you don't have to say 'play' before 'swim'.		
สะสม... *sàh-sŏhm*		to collect
- แสตมป์	-	stamps
- เหรียญกษาปณ์	*rĭan-kàh-sàhb*	coins
- ธนบัตร	*thah-nah-bàhd*	banknotes
- ของเก่า	*khŏng-kào*	antiques
เลี้ยงสัตว์ *Líang-sàhd*		to raise (a pet)
- หมา	*măh*	a dog
- แมว	*maw*	a cat
- นก	*nóhk*	a bird
- ปลา	*plah*	a fish

Thai	English
อ่านหนังสือ *àhn-năhng-sŭe*	to read books
ปลูกต้นไม้ *plòok-tôhn-mái*	to plant
ทำสวน *thahm-sŭan*	to do the garden
ทำอาหาร *thahm-ah-hăhn*	to cook
ดูหนัง *doo-năhng*	to see the movie
ฟังเพลง *fahng-phleng*	to listen to music
ร้องเพลง *róng-phleng*	to sing
เล่นเกมคอมพิวเตอร์ *lên-gem-computer*	to play computer game
เล่นอินเตอร์เน็ต *lên-internet*	to surf the net
ช็อปปิ้ง *chóp-pîng*	to go shopping

** The words that have no pronunciation indicated are pronounced like in English.

รับอะไรดีครับ?

(Ráhb-àh-rai-dee-khráhb?)

What would you like to have?

Shortcut for Speaking Thai

รับอะไรดีครับ?

(Ráhb-àh-rai-dee-khráhb?)

What would you like to have?

This chapter provides some useful vocabularies about foods and drinks, and shows practical conversations in restaurants.

ตัวอย่างบทสนทนา (Model Conversation)

A:	สวัสดีค่ะ มากี่ท่านคะ?
	(Sàh-wàhd-dee-khàh Mah-kèe-thâhn-kháh?)
	Good evening, sir. How many do you have in your party?
B:	3 คนครับ
	(Săhm-khohn-khráhb)
	Three.
A:	จองไว้หรือเปล่าคะ?
	(Jong-wái-rĕu-plào-kháh?)
	Have you made a reservation?
B:	เปล่าครับ
	(Plào-khráhb)
	No.
A:	เชิญทางนี้ค่ะ
	(Chern-thahng-née-khàh)
	Come this way, please.
B:	ขอเมนูหน่อยครับ
	(Khŏr-menu-nòi-khráhb)
	Can I have a menu?
A:	นี่ค่ะท่าน
	(Nêe-khàh-thâhn)
	Here it is, sir.

B:	ขอข้าว 1 โถ ต้มยำกุ้ง ปลากะพงทอด และไข่เจียวหมูสับอย่างละ 1 ที่
	(Khŏr-khâo-nèung-thŏh Tôhm-yahm-kûng Plah-kàh-phohng-thôd Láir-khài-jiaw-mŏo-sàhb-yàhng-láh-nèung-thêe)
	I'd like a bowl of rice and shrimp tomyam, and a plate of fried bass and pork omelette.
A:	ได้ค่ะ รับน้ำอะไรดีคะ?
	(Dâi-khàh Ráhb-náhm-àh-rai-dee-kháh?)
	Yes, sir. What would you like to drink?
B:	น้ำเปล่าครับ
	(Náhm-plào-khráhb)
	Drinking water, please.
A:	อาหารพร้อมเสิร์ฟใน 5 นาทีนะคะ
	(Ah-hăhn-phróm-sèrve-nai-hâh-nah-thee-náh-kháh)
	The food will be served within 5 minutes, sir.

Useful Expressions

❏ ขอเมนูหน่อย
   Khŏr-menu-nòi
   Can I have a menu?

❏ ผมขอ ...
   Phŏhm-khŏr ...
   I'd like ...

...หนึ่งจาน *...-nèung-jahn*	<u>a</u> plate of ...
... หนึ่งชาม *... -nèung-chahm*	<u>a</u> bowl of ...
... หนึ่งแก้ว *... -nèung-kâw*	<u>a</u> glass of ...
... หนึ่งถ้วย *... -nèung-thûay*	<u>a</u> cup of ...

**The words underlined are variable.

□ ผมขอจองโต๊ะสำหรับ...ที่ครับ

Phŏhm-khŏr-jong-tóh-săhm-ràhb-...-thêe-khráhb
I'd like to reserve a table for …

□ ทานอาหารให้อร่อยนะครับ

Than-ah-hăhn-hâi-àh-ròi-náh-khráhb
Have a good meal.

□ ผมอิ่มแล้ว

Phŏhm-ìm-láw
I'm full.

□ คิดเงินด้วยครับ

Khíd-ngern-dûay-khráhb
Check, please.

□ ทั้งหมดเท่าไหร่?

Tháhng-mòhd-thâo-rài?
How much is it altogether?

□ อร่อยจัง

Àh-ròi-jahng
It's yummy.

Vocabulary

Thai	English
กี่ *kèe*	how many
คณะ *khah-náh*	party
จอง *jong*	to reserve
เปล่า *plào*	no, not
เชิญ *chern*	the term used as a polite invitation

Thai	English
อาหาร *ah-hăhn*	food
อิ่ม *ìm*	to be full
ช้อน *chón*	a spoon
ส้อม *sôm*	a fork
ตะเกียบ *tàh-kìab*	chopsticks
อร่อย *àh-ròi*	delicious

ประเภทอาหาร (kinds of food)

Thai	English
ข้าว *khâo*	rice
ข้าวผัด *khâo-phàhd*	fried rice
ข้าวราด *khâo-râhd*	rice with something on top
ก๋วยเตี๋ยว *kŭay-tĭaw*	noodle

- เส้นเล็ก	*sên-lék*	narrow and long noodles
- เส้นใหญ่	*sên-yài*	big and wide noodles
- เส้นหมี่	*sên-mèe*	tiny and long noodles
- บะหมี่	*bàh-mèe*	egg noodles
- เกี๊ยว	*kíaw*	dumpling
- วุ้นเส้น	*wún-sên*	bean thread
- แห้ง	*hâng*	without soup
- น้ำ	*náhm*	with soup

Thai	English
หมู *mǒo*	pork
เนื้อ *néu-a*	beef
ไก่ *kài*	chicken
ปลา *plah*	fish
กุ้ง *kûng*	shrimp
ปลาหมึก *plah-mèuk*	cuttlefish
ผัดผัก *phàhd-phàhk*	stir-fried vegetables
แกงเผ็ด *kang-phèd*	curry
แกงจืด *kang-jèud*	mild soup
ต้มยำ *tôhm-yahm*	hot and sour soup

เครื่องปรุง (seasoning)

Thai	English
น้ำปลา *náhm-plah*	fish sauce
น้ำตาล *náhm-tahn*	sugar
เกลือ *kleu-a*	salt
พริก *phrík*	chili

Thai	English
น้ำส้มสายชู *náhm-sôhm-săi-choo*	vinegar
พริกไทย *phrík-thai*	pepper
ซีอิ๊วขาว *see-íw-khăo*	soy sauce

วิธีการปรุงอาหาร (manner of cooking)

Thai	English
ต้ม *tôhm*	to boil
นึ่ง *nêung*	to steam
ย่าง *yâhng*	to grill over the fire
ปิ้ง *pîng*	to broil
เผา *phăo*	to grill under the fire
ทอด *thôd*	to deep-fry
ผัด *phàhd*	to stir-fry
อบ *òhb*	to roast

เครื่องดื่ม (drink)

Thai	English
น้ำเปล่า *náhm-plào*	drinking water
น้ำอัดลม *náhm-àhd-lohm*	soda pop
ชา *chah*	tea
กาแฟ *kah-fair*	coffee
น้ำผลไม้ *náhm-phŏhn-lah-mái*	fruit juice

* You can replace 'ผลไม้' which means 'fruit' with any kind of fruits indicated below.

Thai	English
เย็น *yen*	ice
ร้อน *rón*	hot
ปั่น *pàhn*	to blend the drink with the ice
คั้น *kháhn*	to squash

ผลไม้ (fruits)

Thai	English
ส้ม *sôhm*	an orange
มะนาว *máh-nahw*	a lemon
มะม่วง *máh-mûang*	a mango
มังคุด *mahng-khúd*	a mangosteen

Thai	English
กล้วย *klûay*	a banana
แอปเปิล *áb-pêrn*	an apple
สับปะรด *sàhb-pàh-róhd*	a pineapple
มะละกอ *máh-láh-kor*	a papaya
แตงโม *tang-moh*	a watermelon
องุ่น *àh-ngùn*	grapes
ลิ้นจี่ *lín-jèe*	lichees
ลำไย *lahm-yai*	longans
มะพร้าว *máh-phráhw*	a coconut
ทุเรียน *thú-rian*	a durian

รสชาติ (taste)

Thai	English
เผ็ด *phèd*	hot
เปรี้ยว *prîaw*	sour
เค็ม *khem*	salty
หวาน *wăhn*	sweet
ขม *khŏhm*	bitter
จืด *jèud*	tasteless

ลดหน่อยได้ไหมครับ?

(Lóhd-nòi-dâi-măi-khráhb?)

Can you lower the price?

Shortcut for Speaking Thai

ลดหน่อยได้ไหมครับ?

(Lóhd-nòi-dâi-mǎi-khráhb?)

Can you lower the price?

You will learn about vocabularies of some necessary products here, as well as how to ask about the price and ask for a discount.

ตัวอย่างบทสนทนา (Model Conversation)

A:	ขอโทษค่ะ รองเท้าสตรีมีขายที่ไหนคะ?
	(Khǒr-thôhd-khàh Rong-tháo-sàh-tree-mee-khǎi-thêe-nǎi-kháh?)
	Excuse me, where is the women's shoes shop?
B:	อยู่ชั้น 1 แผนกเครื่องหนังครับ
	(Yòo-cháhn-nèung-phàh-nàk-khrêu-ang-nǎhng-khráhb)
	The 1st floor. At the leather department.
A:	ขอบคุณมากค่ะ
	(Khòb-khun-mâhk-khàh)
	Thank you very much.
แผนกเครื่องหนัง (At the Leather Department)	
C:	มีอะไรให้ช่วยไหมครับ?
	(Mee-àh-rai-hâi-chûay-mǎi-khráhb?)
	Can I help you?
A:	มีรองเท้าสีดำ เบอร์ 5 ไหมคะ?
	(Mee-rong-tháo-sěe-dahm-ber-hâh-mǎi-kháh?)
	Are there a size 5 in black shoes?
C:	รอสักครู่นะครับ
	(Ror-sàhk-khrôo-náh-khráhb)
	Wait a moment, please.
A:	ค่ะ
	(Khàh)
	Yes.

2 นาทีต่อมา *(2 minutes later)*	
C:	ขอโทษครับ มีแต่เบอร์ 4 ครึ่ง *(Khŏr-thôhd-khráhb Mee-tàir-ber-sèe-khrêung)* I'm sorry. There are only size 4 and a half.
A:	ขอลองได้ไหมคะ? *(Khŏr-long-dâi-măi-kháh?)* Can I try?
C:	ได้ครับ *(Dâi-khráhb)* Sure, madame.
A:	คู่นี้เท่าไหร่คะ? *(Khôo-née-thâo-rài-kháh?)* How much is it?
C:	1,200 บาทครับ *(Nèung-phahn-sŏng-rói-bàht-khráhb)* 1,200 baht.
A:	ลดหน่อยได้ไหมคะ? *(Lóhd-nòi-dâi-măi-kháh?)* Can I get a discount?
C:	ช่วงนี้ ทางห้างมีโปรโมชั่น ลดอีก 10 เปอร์เซ็นต์จากป้ายครับ *(Chûang-née-thahng-hâhng-mee-promotion Lóhd-èek-sìb-percent-jàhk-pâi-khráhb)* At this moment, our mall is doing a promotion. It gives 10 percent discount from the price label.
A:	ตกลงค่ะ ฉันเอาคู่นี้ *(Tòhk-lohng-khàh Chăhn-ao-khôo-née)* O.K. I'll take it.

Useful Expressions

□ ขอเดินดูก่อนนะครับ

Khŏr-dern-doo-kòrn-náh-khráhb
I'm just looking around.

□ ผมอยากได้ ...

Phŏhm-yàhk-dâi...
I'm looking for ….

□ ราคาเท่าไหร่?

Rah-khah-thâo-rài?
How much is it?

□ รับบัตรเครดิตไหม?

Ráhb-bàhd-credit-măi?
Do you accept a credit card?

□ เอา<u>หนึ่งอัน</u>

Ao-nèung-ahn
I'll take <u>one</u>.

ต่อรองราคา (bargaining)

ลดหน่อยได้ไหม? *Lóhd-nòi-dâi-măi?*	Can you lower the price?
มีส่วนลดไหม? *Mee-sùan-lóhd-măi?*	Can I get a discount?
<u>หนึ่งพัน</u>ได้ไหม? <u>*Nèung-phahn*</u>-dâi-măi?	Can I have it for <u>1,000</u>?

*The numbers underlined are variable according to the situations.

Vocabulary

Thai	English
ราคา *rah-khah*	price
ส่วนลด *sùan-lóhd*	discount
จ่าย *jài*	to pay
เงินทอน *ngern-thon*	change
แพง *phang*	expensive
ถูก *thòok*	cheap
ขนาด *khàh-nàhd*	size
เล็กไป *lék-pai*	too small
ใหญ่ไป *yài-pai*	too big
พอดี *phor-dee*	fit
สี *sěe*	colour
อื่น *èun*	other
รับ *ráhb*	to accept
บัตร *bàhd*	a card
แผนก *phàh-nàk*	department
รอ *ror*	wait
สักครู่ *sàhk-khrôo*	a moment
ป้าย *pâi*	a label
ครึ่ง *khrêung*	a half

สินค้า (products)

Thai	English		
รองเท้า *rong-tháo*	shoes		
กระเป๋า *kràh-pǎo*	bags		
ดอกไม้ *dòk-mái*	flowers		
เสื้อผ้า *sêu-a-phâh*	clothes		
- เสื้อเชิ้ต	*sêu-a-shírt*	shirts	
- เสื้อยืด	*sêu-a-yêud*	T-shirts	
- กระโปรง	*kràh-prohng*	skirts	
- กางเกงขาสั้น	*kahng-keng-khǎh-sâhn*	shorts	
- กางเกงขายาว	*kahng-keng-khǎh-yahw*	trousers	
- ถุงเท้า	*thǔng-tháo*	socks	
- ผ้าพันคอ	*phâh-phahn-khor*	scarves	
- เน็คไท	*néck-thai*	ties	
เครื่องสำอาง *khrêu-ang-sǎhm-ahng*	cosmetics		
เครื่องกีฬา *khrêu-ang-kee-lah*	sport facilities		
เครื่องใช้ไฟฟ้า *khrêu-ang-chái-fai-fáh*	power tools		
ของขวัญ *khǒhng-khwǎhn*	gifts		
เครื่องเขียน *khrêu-ang-khǐan*	stationeries		
- ปากกา	*pàhk-kah*	pen	
- ดินสอ	*din-sǒr*	pencil	
- ยางลบ	*yahng-lóhb*	eraser	
- ไม้บรรทัด	*mái-bahn-tháhd*	ruler	
หนังสือ *nǎhng-sěu*	books		
เครื่องดนตรี *khrêu-ang-dohn-tree*	musical instruments		

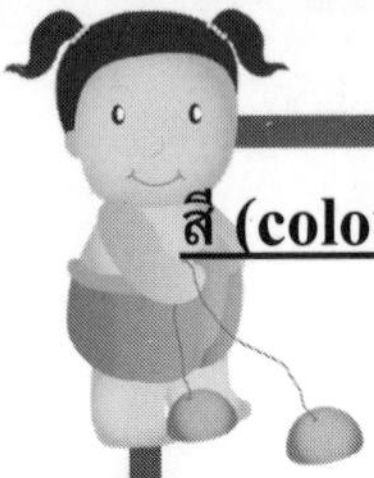

สี (colour)

Thai	English
ดำ *dahm*	black
ขาว *khǎo*	white
เหลือง *lěu-ang*	yellow
แดง *dang*	red
ชมพู *chohm-phoo*	pink
ฟ้า *fáh*	blue
เขียว *khǐaw*	green
น้ำตาล *náhm-tahn*	brown
ม่วง *mûang*	purple

ขอซื้อตั๋วไปพัทยา 2 ใบครับ

(Khŏr-séu-tŭa-pai-pȟáhd-thah-yah-sŏng-bai-khráhb)

I'd like 2 tickets to Pattaya, please.

Shortcut for Speaking Thai

ขอซื้อตั๋วไปพัทยา 2 ใบครับ

(Khŏr-séu-tŭa-pai-pháhd-thah-yah-sŏng-bai-khráhb)

I'd like 2 tickets to Pattaya, please.

This chapter is about transportation. The conversations range from asking about the vehicles and their route to buying tickets and choosing desirable seats.

ตัวอย่างบทสนทนา (Model Conversation) 1

A:	ขอโทษครับ รถไปพัทยาออกกี่โมงครับ?
	(Khŏr-thôhd-khráhb Róhd-pai-pháhd-thah-yah-òk-kèe-mohng-khráhb?)
	Excuse me, when does the bus to Pattaya leave?
B:	ออกทุกๆ ครึ่งชั่วโมงค่ะ
	(Òk-thúk-thúk-khrêung-chûa-mohng-khàh)
	Every half an hour, sir.
A:	ถ้างั้น ผมขอซื้อตั๋วไปพัทยา เที่ยวบ่าย 3 โมง 2 ใบครับ
	(Thâh-ngáhn Phŏhm-khŏr-séu-tŭa-pai-pháhd-thah-yah Thîaw-bài-săhm-mohng-sŏng-bai-khráhb)
	Well, I'd like 2 tickets at 3 p.m. to Pattaya.
B:	ได้ค่ะ รอสักครู่นะคะ
	(Dâi-khàh Ror-sàhk-khrôo-náh-kháh)
	Yes, sir. Wait a moment, please.

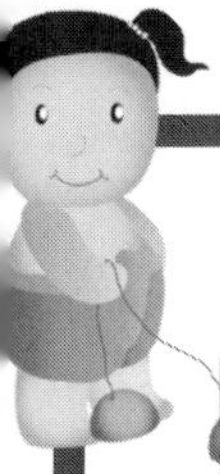

ตัวอย่างบทสนทนา (Model Conversation) 2

A:	คุณเก๋ครับ ถ้าผมจะไประยอง ผมต้องขึ้นรถไฟสายไหนครับ? *(Khun-Kăy-khráhb Thâh-phŏhm-jàh-pai-ráh-yong Phŏhm-tông-khêun-róhd-fai-săi-năi-khráhb?)* Kay, if I want to go to Rayong, which train should I take?
B:	รถไฟสายตะวันออกค่ะ *(Róhd-fai-săi-tah-wahn-òk-khàh)* The train that's heading to the East.
A:	คุณทราบไหมครับ ว่าต้องไปชานชาลาที่เท่าไหร่ครับ? *(Khun-sâhb-măi-khráhb Wâh-tông-pai-chahn-chah-lah-thêe-thâo-rài-khráhb?)* Do you know which platform I have to go?
B:	ดิฉันไม่แน่ใจนะคะ แต่น่าจะเป็นชานชาลาที่ 5 ค่ะ *(Di-chăhn-mâi-nâir-jai-náh-kháh Tàir-nâh-jàh-pen-chahn-chah-lah-thêe-hâh-khàh)* I'm not sure. It's probably platform 5.
A:	ขอบคุณมากครับ *(Khòb-khun-mâhk-khráhb)* Thank you very much.

ตัวอย่างบทสนทนา (Model Conversation) 3

A:	ขอโทษครับ รถไฟสายนี้ผ่านอยุธยาหรือเปล่าครับ?
	(Khŏr-thôhd-khráhb Róhd-fai-săi-née-phàhn-àh-yud-thah-yah-rĕu-plào-khráhb?)
	Excuse me, does this train stop at Ayuttaya?
B:	ผ่านค่ะ
	(Phàhn-khàh)
	Yes, sir.
A:	ผมขอซื้อตั๋วไปกลับ 1 ใบครับ
	(Phŏhm-khŏr-séu-tŭa-pai-klàhb-nèung-bai-khráhb)
	I'd like a return to Ayuttaya.
B:	ได้ค่ะ ราคา 60 บาทค่ะ
	(Dâi-khàh Rah-khah-hòk-sìb-bàhd-khàh)
	Yes, sir. It's 60 baht.
A:	นี่ครับ
	(Nêe-khráhb)
	Here it is.
B:	ขอบคุณค่ะ อีก 15 นาที รถออกนะคะ
	(Khòb-khun-khàh Èek-sib-hâh-nah-thee Róhd-òk-náh-kháh)
	Thank you, sir. The train will leave within 15 minutes.

Useful Expressions

□ รถไป...ออกกี่โมงครับ?

Róhd-pai-...-òk-kèe-mohng-khráhb?
When does the bus to … leave?

□ รถจะถึง ... กี่โมงครับ?

Róhd-jàh-thĕung-...-kèe-mohng-khráhb?
When will the bus arrive at …?

□ ผมต้องขึ้นรถไฟสายไหนครับ?

Phŏhm-tông-khêun-róhd-fai-săi-năi-khráhb?
Which train should I take?

□ ผมไม่แน่ใจ

Phŏhm-mâi-nâir-jai
I'm not sure.

□ รถไฟสายนี้ผ่าน...หรือเปล่า?

Róhd-fai-săi-née-phàhn-....-rĕu-plào?
Does this train stop at …?

□ ผมขอซื้อ...

Phŏhm-khŏr-séu ...
I'd like …

ตั๋วที่นั่งติดหน้าต่าง *tŭa-thêe-nâhng-tìd-nâh-tàhng*	a window seat
ตั๋วที่นั่งติดทางเดิน *tŭa-thêe-nâhng-tìd-thahng-dern*	an aisle seat
ตั๋วเที่ยวเดียว *tŭa-thîaw-diaw*	a single
ตั๋วไปกลับ *tŭa-pai-klàhb*	a return
ตั๋วชั้นหนึ่ง *tŭa-cháhn-nèung*	a first class ticket
ตั๋วชั้นสอง *tŭa-cháhn-sŏng*	a second class ticket

Vocabulary

Thai	English
ค่าโดยสาร *khâh-dohy-săhn*	fare
ตั๋ว *tŭa*	a ticket
ทุกๆ *thúk-thúk*	every
ผ่าน *phàhn*	to pass
หยุด *yùd*	to stop
ออก *òk*	to leave
ถึง *thĕung*	to arrive

ทิศ (direction)

Thai	English
เหนือ *nĕu-a*	North
ใต้ *tâi*	South
ตะวันออก *tah-wahn-òk*	East
ตะวันตก *tah-wahn-tòhk*	West
ตะวันออกเฉียงเหนือ *tah-wahn-òk-chĭang-nĕu-a*	North-east

ช่วยด้วย! ผมหลงทาง
(Chûay-dûay! Phŏhm-lŏhng-thahng)

Help me! I'm lost.

Shortcut for Speaking Thai

ช่วยด้วย! ผมหลงทาง
(Chûay-dûay Phŏhm-lŏhng-thahng)
Help me! I'm lost.

You ought to practice asking other people about the location of places, the vehicles and the time spent to the place. You may not see its importance at the moment, but you will see it when you get lost.

ตัวอย่างบทสนทนา (Model Conversation)

A:	ขอโทษครับ รถสายอะไรไปสยามสแควร์บ้าง?
	(Khŏr-thôhd-khráhb Róhd-săi-àh-rai-pai-Siam-Square-bâng?)
	Excuse me, which bus goes to Siam Square?
B:	สาย 21 กับ 50 ค่ะ
	(Săi-yêe-sìb-èd-kàhb-hâh-sìb-khàh)
	Number 21 and 50.
A:	ใช้เวลาเท่าไหร่กว่าจะไปถึง?
	(Chái-way-lah-thâo-rài-kwàh-jàh-pai-thĕung?)
	How long does it take to get there?
B:	ประมาณครึ่งชั่วโมงจากที่นี่ค่ะ
	(Pràh-mahn-khrêung-chûa-mohng-jàhk-thêe-nêe-khàh)
	About half and hour from here.
A:	ขอบคุณมากครับ
	(Khòb-khun-mâhk-khráhb)
	Thank you very much.
B:	ยินดีค่ะ
	(Yin-dee-khàh)
	You're welcome.

Useful Expressions

□ ใช้เวลาเท่าไหร่?

Chái-way-lah-thâo-rài?
How long does it take?

□ ยินดี (รับใช้)

Yin-dee (ráhb-chái)
You're welcome.

□ แถวนี้มี ... ไหมครับ?

Thăw-née-mee-...-măi-khráhb?
Is there … around here?

Ex. แถวนี้มีโทรศัพท์สาธารณะไหมครับ?

Thăw-née-mee-thoh-rah-sàhb-săh-thah-rah-náh-măi-khráhb?
Is there a public telephone around here?

แถวนี้มีร้านดอกไม้ไหมครับ?

Thăw-née-mee-ráhn-dòk-mái-măi-khráhb?
Is there a florist's around here?

แถวนี้มีที่จอดรถไหมครับ?

Thăw-née-mee-thêe-jòd-róhd-măi-khráhb?
Is there a parking lot around here?

□ จะไป...ยังไงครับ?

Jàh-pai-...-yahng-ngai-khráhb?
How can I get to …?

Ex. จะไปวัดพระแก้วยังไงครับ?

Jàh-pai-wáhd-phráh-kâw-yahng-ngai-khráhb?
How can I get to Wat Pra Kaew?

จะไปสวนจตุจักรยังไงครับ?

Jàh-pai-sŭan-jàh-tu-jàhk-yahng-ngai-khráhb?
How can I get to Jatujak Market?

จะไปพัทยายังไงครับ?

Jàh-pai-pháhd-thah-yah-yahng-ngai-khráhb?
How can I get to Pattaya?

Vocabulary

Thai	English
สาธารณะ *săh-thah-rah-náh*	public
ที่จอดรถ *thêe-jòd-róhd*	a parking lot
สายไหน? *săi-năi?*	which number?
นานเท่าไหร่? *nahn-thâo-rài?*	How long?
ไกลเท่าไหร่? *klai-thâo-rài?*	How far?
ที่นี่ *thêe-nêe*	here
ที่นั่น *thêe-nâhn*	there
ประมาณ *pràh-mahn*	about
ไปถึง *pai-thĕung*	get (there)

ยานพาหนะ (vehicles)

Thai	English
รถยนต์ *róhd-yohn*	a car
รถเมล์ *róhd-may*	a bus
รถไฟ *róhd-fai*	a train
รถตุ๊ก-ตุ๊ก *róhd-túk-túk*	a tuktuk
รถไฟฟ้า *róhd-fai-fáh*	a sky train

Thai	English
รถไฟใต้ดิน *róhd-fai-tâi-din*	a subway
เรือ *reu-a*	a boat
เครื่องบิน *khrêu-ang-bin*	a plane

ทิศทาง (direction)

Thai	English
เลี้ยวซ้าย *liáw-sái*	turn left
เลี้ยวขวา *liáw-khwăh*	turn right
ตรงไป *trohng-pai*	go straight
สี่แยก *sèe-yâk*	the junction
สามแยก *săhm-yâk*	the T-junction
ไฟแดง *fai-dang*	the traffic light

มีห้องว่างไหมครับ?

(Mee-hông-wâhng-măi-khráhb?)

Is there a vacant room?

Shortcut for Speaking Thai

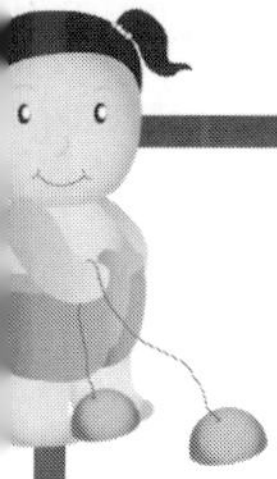

มีห้องว่างไหมครับ?

(Mee-hông-wâhng-măi-khráhb?)

Is there a vacant room?

Certainly, it will be more satisfying if you can specify the kind of room you really need to spend a night or more in a hotel. This chapter will help.

ตัวอย่างบทสนทนา (Model Conversation) 1

A:	สวัสดีครับ คุณสมศรี ผมเจฟนะ
	(Sàh-wàhd-dee-khráhb Khun-Sŏhm-srĭ Phŏhm-Jeff-náh)
	Hi, Somsri. I'm Jeff.
B:	สวัสดีค่ะ คุณเจฟ มีปัญหาอะไรหรือเปล่าคะ?
	(Sàh-wàhd-dee-khàh Khun-Jeff Mee-pahn-hăh-àh-rai-rĕu-plào-kháh?)
	Hello, Jeff. Do you have any problem?
A:	ผมอยากให้คุณช่วยแนะนำโรงแรมใกล้สนามบินให้หน่อยครับ
	(Phŏhm-yàhk-hâi-khun-chûay-náir-nahm-rohng-ram-klâi-sàh-năhm-bin-hâi-nòi-khráhb)
	I'd like you to suggest a hotel near the airport.
B:	ได้ค่ะ ดิฉันคิดว่าคุณควรจะไปที่โรงแรมบางกอกแกรนด์ มันตั้งอยู่ริมถนนเลียบทาง รถไฟ ไม่ไกลจากสนามบิน บริการดีมากเลยค่ะ
	(Dâi-khàh Dì-chăhn-khíd-wâh-khun-khuan-jàh-pai-thêe-rohng-ram-bahng-kòk-kran Mahn-tâhng-yòo-rim-thàh-nŏhn-lîab-thahng-róhd-fai Mâi-klai-jàhk-sàh-năhm-bin Bor-ri-kahn-dee-mâhk-lery-khàh)
	Certainly. I think you should go to the Bangkok Grand Hotel. It is located beside the local road, not far from the airport. The service is superb.
A:	เยี่ยมเลย ขอบคุณมากครับ
	(Yîam-lery Khòb-khun-mâhk-khráhb)
	That's great. Thank you very much.

ตัวอย่างบทสนทนา (Model Conversation) 2

A:	สวัสดีค่ะท่าน มีอะไรให้ช่วยไหมคะ?
	(Sáh-wàhd-dee-khàh-thân Mee-àh-rai-hâi-chûay-măi-kháh?)
	Good evening, sir. Can I help you?
B:	สวัสดีครับ มีห้องว่างไหมครับ?
	(Sáh-wàhd-dee-khráhb Mee-hông-wâhng-măi-khráhb?)
	Hello. Is there a vacant room?
A:	มีค่ะ ต้องการห้องแบบไหนคะ?
	(Mee-khàh Tông-kahn-hông-bàb-năi-kháh?)
	Yes, sir. What kind of room would you like to have?
B:	ห้องเตียงเดี่ยวที่มีอ่างอาบน้ำ
	(Hông-tiang-dìaw-thêe-mee-àhng-àhb-náhm)
	A single room with a bath, please.
A:	สักครู่นะคะ
	(Sàhk-khrôo-náh-kháh)
	One moment, please.
A:	มีห้องว่างค่ะ
	(Mee-hông-wâhng-khàh)
	It is available, sir.
B:	คืนละเท่าไหร่ครับ?
	(Kheun-láh-thâo-rài-khráhb?)
	How much for a night?
A:	1,000 บาทค่ะ
	(Nèung-phahn-bàhd-khàh)
	A thousand baht, sir.
B:	ตกลง ผมเอาห้องนี้
	(Tòhk-lohng Phŏhm-ao-hông-née)
	O.K. I'll take it.

Useful Expressions

- มีปัญหาอะไรหรือเปล่าครับ?

  Mee-pahn-hăh-àh-rai-rěu-plào-khráhb?
  Do you have a problem?

- ผมอยากให้คุณช่วยแนะนำ...

  Phŏhm-yàhk-hâi-khun-chûay-náir-nahm...
  I'd like you to suggest …

- ผมคิดว่าคุณควรจะ ...

  Phŏhm-khíd-wâh-khun-khuan-jàh...
  I think you should …

- มันตั้งอยู่...

  Mahn-tâhng-yòo...
  It is located ...

- เยี่ยมเลย

  Yîam-lery
  That's great.

- มีอะไรให้ช่วยไหม?

  Mee-àh-rai-hâi-chûay-măi?
  Can I help you?

- มีห้องว่างไหม?

  Mee-hông-wâhng-măi?
  Is there a vacant room?

- ต้องการห้องแบบไหน?

  Tông-kahn-hông-bàb-năi?
  What kind of room would you like to have?

- คืนละเท่าไหร่?

  Kheun-láh-thâo-rài?
  How much for a night?

Kinds of rooms

ห้องเตียงเดี่ยว *hông-tiang-dìaw*	a single room
ห้องเตียงคู่ *hông-tiang-khôo*	a double room
ห้องแฝด *hông-fàd*	a twin room
ห้องชุด *hông-chúd*	a suite
ห้องที่มีห้องน้ำในตัว *hông-thêe-mee-hông-náhm-nai-tua*	an en suite
ห้องเงียบๆ *hông-ngîab-ngîab*	a quiet room
ห้องไม่สูบบุหรี่ *hông-mâi-sòob-bù-rèe*	a non-smoking room
ห้องที่มองเห็นวิว *hông-thêe-mong-hěn-wiw*	a room with a view

ห้องที่มี ... *hông-thêe-mee ...* a room with …	อ่างอาบน้ำ *àhng-àhb-náhm* a bath
	ระเบียง *ráh-biang* a balcony
	ทีวี *thee-wee* a television

Vocabulary

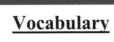

Thai	English
โรงแรม *rohng-ram*	a hotel
เงินสด *ngern-sòhd*	cash
ต้องการ *tông-kahn*	to need, to want
เช็คอิน *check-in*	to check-in
เช็คเอาท์ *check-out*	to check-out
จอง *jong*	to reserve
พนักงาน *pháh-náhk-ngahn*	staff
ว่าง *wâhng*	vacant, available
กุญแจ *kun-jair*	a key
ห้องอาบน้ำ *hông-àhb-náhm*	a bathroom
ห้องน้ำ *hông-náhm*	a rest room
ปัญหา *pahn-hăh*	a problem
แนะนำ *náir-nahm*	to suggest
ใกล้ *klâi*	near
ไกล *klai*	far
สนามบิน *sàh-năhm-bin*	airport

Thai	English
ริม, ข้าง *rim, khâhng*	beside
ถนนเลียบทางรถไฟ *thàh-nŏhn-lîab-thahng-róhd-fai*	local road
บริการ *bor-ri-kahn*	service
แบบ, ประเภท *bàb, pràh-phêd*	kind
สักครู่ *sàhk-khrôo*	a moment
คืน *kheun*	a night
วัน *wahn*	a day

คุณช่วยถ่ายรูปให้หน่อยได้ไหมครับ?

(Khun-chûay-thài-rôob-hâi-nòi-dâi-măi-khráhb?)

Can you take a picture for me?

Shortcut for Speaking Thai

คุณช่วยถ่ายรูปให้หน่อยได้ไหมครับ?

(Khun-chûay-thài-rôob-hâi-nòi-dâi-mǎi-khráhb?)

Can you take a picture for me?

When you would like to take photographs in certain areas, It is suitable to ask first if you are allowed to do so. This chapter provides you the conversations related to photo taking, including asking other people to take one for you.

ตัวอย่างบทสนทนา (Model Conversation)

A:	โอ้! ดอกไม้สวยมากเลย ดูสิ
	(Ôh! Dòk-mái-sǔay-mâhk-lery Doo-sì)
	Oh! The flowers are very beautiful. Take a look at them.
B:	สวยมากค่ะ ถ่ายรูปกันเถอะ
	(Sǔay-mâhk-khàh Thài-rôob-kahn-thèr)
	That's gorgeous. Let's take photographs.
A:	ผมคิดว่าเราควรจะถามคนอื่นก่อน ว่าเขาอนุญาตให้เราถ่ายรูปตรงนี้ไหม
	(Phǒhm-khíd-wâh-rao-khuan-jàh-thǎhm-khohn-èun-kòhn Wâh-khǎo-àh-nú-yâhd-hâi-rao-thài-rôob-trohng-née-mǎi)
	I think we should ask other people if we are allowed to take a picture here.
B:	เป็นความคิดที่ดีค่ะ
	(Pen-khwahm-khíd-thêe-dee-khàh)
	That's a good idea.
A:	ขอโทษครับ ตรงนี้อนุญาตให้ถ่ายรูปไหมครับ?
	(Khǒr-thôhd-khráhb Trohng-née-àh-nú-yâhd-hâi-thài-rôob-mǎi-khráhb?)
	Excuse me, are we allowed to take a picture here?
C:	ครับ
	(khráhb)
	Yes, you are.

B:	คุณช่วยถ่ายรูปให้พวกเราหน่อยได้ไหมคะ?
	(Khun-chûay-thài-rôob-hâi-phûak-rao-nòi-dâi-măi-kháh?)
	Could you take a picture for us?
C:	ได้เลยครับ
	(Dâi-lery-khráhb)
	Certainly.
A:	ขอบคุณมากครับ
	(Khòb-khun-mâhk-khráhb)
	Thank you very much.

Useful Expressions

❑ ดูสิ
  Doo-sì
  Take a look at them.

❑ สวยมาก
  Sŭay-mâhk
  That's gorgeous.

❑ ถ่ายรูปกันเถอะ
  Thài-rôob-kahn-thèr
  Let's take photographs.

❑ ตรงนี้อนุญาตให้...ไหมครับ?
  Trohng-née-àh-nú-yâhd-hâi-...-măi-khráhb?
  Are we allowed to … here?

Vocabulary

Thai	English
ดอกไม้ *dòk-mái*	a flower
สวย *sǔay*	beautiful
สวย *sǔay*	gorgeous
ถ่ายรูป *thài-rôob*	to take photographs
รูป *rôob*	a photograph
ถาม *thǎhm*	to ask
ควร *khuan*	should
คนอื่น *khohn-èun*	other people
อนุญาต *àh-nú-yâhd*	to allow
ตรงนี้ *trohng-née*	here

ผมทำกระเป๋าสตางค์หาย

(Phŏhm-thahm-kràh-păo-sàh-tahng-hăi)

I’ve lost my wallet.

Shortcut for Speaking Thai

ผมทำกระเป๋าสตางค์หาย

(Phŏhm-thahm-kràh-păo-sàh-tahng-hăi)

I’ve lost my wallet.

The police station is another place where you might have to get help during your time in Thailand. The situation here occurs when a person has lost his wallet and another person has found it. They both come to the police station, so the first one can get his wallet back.

ตัวอย่างบทสนทนา (Model Conversation) 1

Police:	เกิดอะไรขึ้นครับ? *(Kèrd-àh-rai-khêun-khráhb?)* What happened?
You:	ดิฉันทำกระเป๋าสตางค์หายค่ะ *(Dì-chăn-thahm-kràh-păo-sàh-tahng-hăi-khàh)* I’ve lost my wallet.
Police:	คุณทำมันหายที่ไหนครับ? *(Khun-thahm-mahn-hăi-thêe-năi-khráhb?)* Where did you lose it?
You:	ในแท็กซี่ แถว ๆ ถนนข้าวสารค่ะ *(Nai-táxî Thăw-thăw-thàh-nŏhn-khâhw-săhn-khàh)* In a taxi near Khao Sahn road.
Police:	เมื่อไหร่ครับ? *(Mêu-a-rài-khráhb?)* When?
You:	เมื่อวานนี้ ตอนประมาณ 1 ทุ่มค่ะ *(Mêu-a-wahn-née Ton-pràh-mahn-nèung-thûm-khàh)* Yesterday, at about 7 p.m.
Police:	ในนั้นมีอะไรบ้างครับ? *(Nai-náhn-mee-àh-rai-bâhng-khráhb?)* What did you have in it?

You:	บัตรเครดิต 2 ใบ และเงินสด 3,000 บาทค่ะ
	(Bàhd-credit-sŏng-bai Láir-ngern-sòhd-săhm-phahn-bàhd-khàh)
	2 credit cards and 3,000 baht cash.
Police:	มันลักษณะเป็นยังไงครับ?
	(Mahn-láhk-sàh-nàh-pen-yahng-ngai-khráhb?)
	What does it look like?
You:	มันเป็นกระเป๋าหนัง สีน้ำตาลใบเล็กๆ ค่ะ
	(Mahn-pen-kràh-păo-năhng Sĕe-náhm-tahn-bai-lék-lék-khàh)
	It's a small brown leather wallet.
Police:	โอเค เดี๋ยวคุณกรอกแบบฟอร์มไว้นะครับ แล้วเราจะติดต่อกลับไปทันทีที่เราได้รับข้อมูล
	(Oh-khay Dĭaw-khun-kròk-bàb-fom-wái-náh-khráhb Láw-rao-jàh-tìd-tòr-klàhb-pai-thahn-thee-thêe-rao-dâi-ráhb-khôr-moon)
	O.K. Please fill in the form and we'll contact you as soon as we get the information.

ตัวอย่างบทสนทนา (Model Conversation) 2

A:	ดิฉันเจอกระเป๋าสตางค์ใบนี้ค่ะ
	(Dì-chăn-jer-kràh-păo-sàh-tahng-bai-née-khàh)
	I've found this wallet.
Police:	เจอที่ไหนครับ?
	(Jer-thêe-năi-khráhb?)
	Where did you find it?
A:	ในรถแท็กซี่ค่ะ
	(Nai-róhd-táxî-khàh)
	In a taxi.
Police:	เจอเมื่อไหร่ครับ?
	(Jer-mêu-a-rài-khráhb?)
	When did you find it?
A:	เมื่อคืนนี้ ตอนราวๆ ทุ่มครึ่งค่ะ
	(Mêu-a-kheun-née Ton-rahw-rahw-thûm-khrêung-khàh)
	Last night. About 7.30 p.m.

Police:	ขอบคุณมากครับ คุณเป็นคนที่มีจิตใจดีและซื่อสัตย์มาก เราคิดว่าเจ้าของกระเป๋าคง อยากจะกล่าวขอบคุณคุณครับ เราจะแจ้งให้เขาทราบเดี๋ยวนี้
	(Khòb-khun-mâhk-khráhb Khun-pen-khohn-thêe-mee-jìd-jai-dee-láir-sêu-sàhd-mâhk Rao-khíd-wâh-jâo-khŏng-kràh-păo-khohng-yàhk-jàh-klào-khòb-khun-khun-khráhb Rao-jàh-jâng-hâi-khăo-sâhb-dĭaw-née)
	Thank you very much. You are a very kind and honest person. We think the owner of the wallet will want to say thank you to you. We will inform him right now.

Useful Expressions

❑ เกิดอะไรขึ้น?

Kèrd-àh-rai-khêun?
What happened?

❑ ผมทำ…หาย

Phŏhm-thahm-…-hăi
I've lost…

❑ ผมเจอ …

Phŏhm-jer …
I've found …

❑ ในนั้นมีอะไรบ้าง?

Nai-náhn-mee-àh-rai-bâhng?
What did you have in it?

❑ มันลักษณะเป็นยังไง?

Mahn-láhk-sàh-nàh-pen-yahng-ngai?
What does it look like?

❑ เราจะติดต่อไปทันทีที่เราได้ข้อมูล

Rao-jàh-tìd-tòr-pai-thahn-thee-thêe-rao-dâi-khôr-moon
We'll contact you as soon as we get the information.

❑ เราจะแจ้งให้เขาทราบเดี๋ยวนี้

Rao-jàh-jâng-hâi-khăo-sâhb-dĭaw-née
We will inform him right now.

Vocabulary

Thai	English
สถานีตำรวจ *sàh-thăh-nee-tahm-rùad*	a police station
เกิดขึ้น *kèrd-khêun*	to happen
ทำหาย *thahm-hăi*	to lose
หาย *hăi*	to be lost
พบ, เจอ *phóhb, jer*	to find
มีลักษณะ *mee-láhk-sàh-nàh*	to look like
หนัง *năhng*	leather
กระเป๋าสตางค์ *kràh-păo-sàh-tahng*	a wallet
ติดต่อ *tìd-tòr*	to contact
ข้อมูล *khôr-moon*	information
แจ้ง *jâng*	to inform
แจ้งความ *jâng-khwahm*	to inform the police of what has happened
จิตใจดี *jìd-jai-dee*	kind
ซื่อสัตย์ *sêu-sàhd*	honest
เดี๋ยวนี้ *dĭaw-née*	right now

เป็นอะไรมาครับ?

(Pen-àh-rai-mah-khráhb?)

What's the problem?

Shortcut for Speaking Thai

เป็นอะไรมาครับ?

(Pen-àh-rai-mah-khráhb?)

What's the problem?

Problems about health are unavoidable. Learning vocabulary about your body, and practicing explaining your symptoms to the doctor are very necessary. There are also model sentences used in the visitation of your sick friends.

ตัวอย่างบทสนทนา (Model Conversation)

A:	สวัสดีครับ เป็นอะไรมาครับ?
	(Sàh-wàhd-dee-khráhb Pen-àh-rai-mah-khráhb?)
	Good morning, ma'am. What's the problem?
B:	ดิฉันปวดหัวและไอค่ะ
	(Dì-chăhn-pùad-hŭa-láir-ai-khàh)
	I have a headache and a cough.
A:	มีน้ำมูกหรือเปล่าครับ?
	(Mee-náhm-môok-rŭe-plào-khráhb?)
	Have you got a runny nose?
B:	มีค่ะ
	(Mee-khàh)
	Yes.
A:	โอเคครับ ขอวัดไข้หน่อยนะครับ
	(Oh-khay-khráhb Khŏr-wáhd-khâi-nòi-náh-khráhb)
	O.K. I'll take your temperature.
	คุณมีไข้นะครับ เดี๋ยวนำสลิปไปรับยาที่เคาท์เตอร์ยา ถ้าทานยาแล้วยังไม่ดีขึ้น กลับมาดูอีกวันพุธนะครับ
	(Khun-mee-khâi-náh-khráhb Dĭaw-nahm-slíp-pai-ráhb-yah-thêe-countêr-yah Thâh-thahn-yah-láw-yahng-mâi-dee-khêun Klàhb-mah-doo-èek-wahn-phúd-náh-khráhb)
	You've got a fever. Take this slip to the drug counter and get your medicine. After taking the medicine, if you don't get better, come back again on Wednesday.

Useful Expressions

Talking about your symptom

❑ ผม/ ดิฉัน + (อาการ)
Phŏhm/ Dì-chăhn + ...
I've got + (the symptom)

❑ มี...หรือเปล่าครับ?
Mee-...-rŭe-plào-khráhb?
Have you got ...?

❑ ขอวัดไข้หน่อยนะครับ
Khŏr-wáhd-khâi-nòi-náh-khráhb
I'll take your temperature.

❑ ผมเป็นคนไข้ใหม่
Phŏhm-pen-khohn-khâi-mài
I'm new here.

❑ ผมยังไม่มีบัตรคนไข้
Phŏhm-yahng-mâi-mee-bàhd-khohn-khâi
I haven't got a patient card.

❑ กรุณาอ่านคำสั่งอย่างละเอียดและปฏิบัติตาม
Kah-ru-nah-àhn-khahm-sàhng-yàhng-lah-ìad-láir-pàh-tì-bàhd-tahm
Please read the instruction carefully and follow them.

❑ หายเร็วๆ นะ
Hăi-rew-rew-náh
Get well soon.

❑ แล้วจะมาเยี่ยมใหม่
Láw-jàh-mah-yîam-mài
I will visit you again.

❑ รักษาสุขภาพด้วย
Ráhk-săh-sùk-khah-phâhb-dûay
Take care of your health.

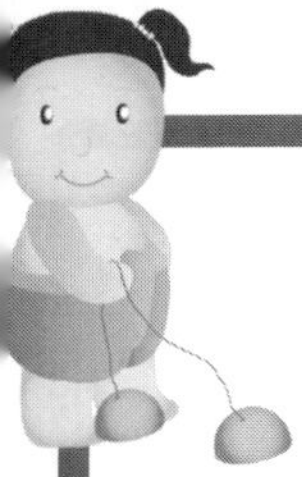

Vocabulary

Thai	English
คำสั่ง *khahm-sàhng*	an instruction, an order
คนไข้ *khohn-khâi*	a patient
คนไข้นอก *khohn-khâi-nôk*	an outpatient
คนไข้ใน *khohn-khâi-nai*	an inpatient
หมอ *mŏr*	a doctor
พยาบาล *pháh-yah-bahn*	a nurse
ปัญหา *pahn-hăh*	a problem
ยา *yah*	a medicine
อาการ *ah-kahn*	a symptom, a condition
ดีขึ้น *dee-khêun*	to get better
บัตร *bàhd*	a card
หาย *hăi*	to get well
อุณหภูมิ *un-nah-hàh-phoom*	a temperature
สุขภาพ *sùk-khah-phâhb*	health

อาการ (the symptoms)

Thai	English
ปวดหัว *pùad-hǔa*	a headache
ปวดท้อง *pùad-thóng*	a stomachache
ไอ *ai*	a cough
มีน้ำมูก *mee-náhm-môok*	a runny nose
ไข้ *khâi*	a fever
ไข้หวัด *khâi-wàhd*	a cold
เจ็บคอ *jèb-khor*	a sore throat
ท้องเสีย *thóng-sǐa*	diarrhea

อวัยวะ (Parts of the body)

Thai	English
หัว *hǔa*	head
หลัง *lǎhng*	back
ท้อง *thóng*	stomach
ขา *khǎh*	leg
แขน *khǎn*	arm
คอ *khor*	neck

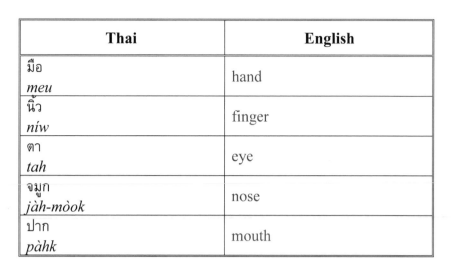

Thai	English
มือ *meu*	hand
นิ้ว *níw*	finger
ตา *tah*	eye
จมูก *jàh-mòok*	nose
ปาก *pàhk*	mouth

ผมอยากส่งพัสดุกล่องนี้ไปลอนดอนครับ

(Phŏm-yàhk-sòhng-pháhd-sah-dù-klòng-née-pai-london-khráhb)

I'd like to send this parcel to London.

Shortcut for Speaking Thai

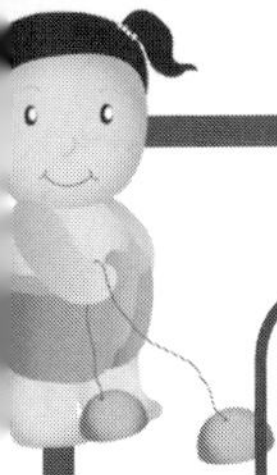

ผมอยากส่งพัสดุกล่องนี้ไปลอนดอนครับ

(Phŏm-yàhk-sòhng-pháhd-sah-dù-klòng-née-pai-london-khráhb)

I'd like to send this parcel to London

A model conversation below takes place in a post office. You will learn how to send your parcels or letters abroad.

ตัวอย่างบทสนทนา (Model Conversation)

A:	ฉันอยากจะส่งพัสดุกล่องนี้ไปลอนดอนค่ะ
	(Chăhn-yàhk-jàh-sòhng-pháhd-sah-dù-klòng-née-pai-london-khàh)
	I'd like to send this parcel to London.
B:	แบบธรรมดาหรือด่วนพิเศษครับ?
	(Bàb-thahm-mah-dah-rĕu-dùan-phí-sèd-khráhb?)
	Normal or express?
A:	ด่วนพิเศษค่ะ
	(Dùan-phí-sèd-khàh)
	Express.
B:	ขอพัสดุครับ
	(Khŏr-pháhd-sah-dù-khráhb)
	Your parcel, please.
A:	นี่ค่ะ
	(Nêe-khàh)
	Here it is.
B:	หนัก 2 กิโลกรัม 3 พันบาทครับ
	(Nàhk-sŏng-ki-lo-krahm Săhm-phahn-bàhd-khráhb)
	It weighs 2 kilos. That'll be 3,000 baht.

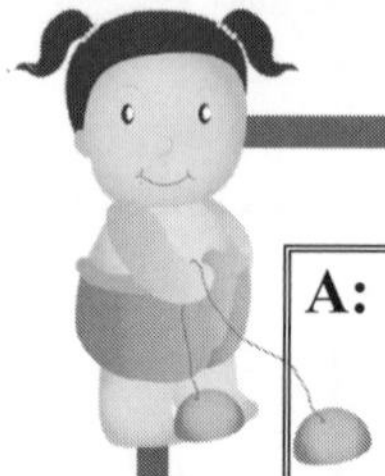

A:	นี่ค่ะ ใช้เวลานานเท่าไหร่คะกว่าจะถึง?
	(Nêe-khàh Chái-way-lah-nahn-thâo-rài-kháh-kwàh-jàh-thĕung?)
	Here you are. How long does it take to get there?
B:	ใช้เวลาประมาณ 1 อาทิตย์ครับ ช่วยกรอกแบบฟอร์มด้วย
	(Chái-way-lah-pràh-mahn-nèung-ah-thíd-khráhb Chûay-kròk-bàb-fom-dûay)
	It takes about a week. Please fill in this form.
A:	ได้ค่ะ ถูกไหมคะ?
	(Dâi-khàh Thòok-măi-kháh?)
	O.K. Is that right?
B:	ถูกต้องครับ ขอบคุณครับ
	(Thòok-tông-khráhb Khòb-khun-khráhb)
	Yes, ma'am. Thank you.

Useful Expressions

□ คุณต้องการจะประกันพัสดุไหม?
  Khun-tông-kahn-jàh-pràh-kahn-pháhd-sah-dù-măi?
  Do you want to insure your parcel?

□ แบบธรรมดาหรือด่วนพิเศษ?
  Bàb-thahm-mah-dah-rĕu-dùan-phí-sèd?
  Normal or express?

□ ช่วยกรอกแบบฟอร์มด้วย
  Chûay-kròk-bàb-fom-dûay
  Please fill in this form.

□ ถูกไหมครับ?
  Thòok-măi-khráhb?
  Is that right?

Vocabulary

Thai	English
ไปรษณีย์ *prai-sah-nee*	a post office
ส่ง *sòhng*	to send
พัสดุ *pháhd-sah-dù*	a parcel
จดหมาย *jòhd-măi*	a letter
ธรรมดา *thahm-mah-dah*	normal
ด่วนพิเศษ *dùan-phí-sèd*	express
หนัก *nàhk*	to weigh
กรอก *kròk*	to fill in
แบบฟอร์ม *bàb-fom*	form
กรัม *krahm*	gramme
กิโลกรัม *ki-lo-krahm*	kilogramme

≡ ผมขอเปิดบัญชีใหม่ครับ

(Phŏhm-khŏr-pèrd-bahn-chee-mài-khráhb)

🇬🇧 **I'd like to open a new account, please.**

Shortcut for Speaking Thai

ผมขอเปิดบัญชีใหม่ครับ

(Phŏhm-khŏr-pèrd-bahn-chee-mài-khráhb)

I'd like to open a new account, please.

This chapter includes how to open an account, deposit and withdraw the money, and change currency.

ตัวอย่างบทสนทนา (Model Conversation) 1

A:	ผมขอเปิดบัญชีใหม่ครับ
	(Phŏhm-khŏr-pèrd-bahn-chee-mài-khráhb)
	I'd like to open a new account, please.
B:	ได้ค่ะ กรุณากรอกชื่อ ที่อยู่ จำนวนเงินฝาก และขอดูพาสปอร์ตของคุณด้วยค่ะ
	(Dâi-khàh Kah-ru-nah-kròk-chêu Thêe-yòo Jahm-nuan-ngern-fàhk Láir-khŏr-doo-pásspòrt-khŏng-khun-dûay-khàh)
	Certainly. Please fill in your name, address and deposit amount. May I see your passport, please?
A:	นี่ครับ
	(Nêe-khráhb)
	Here you are.
B:	ขอบคุณค่ะ กรุณาเซ็นชื่อตรงนี้ คุณจะฝากเงิน 10,000 บาทใช่ไหมคะ?
	(Khòb-khun-khàh Kah-ru-nah-sen-chêu-trohng-née Khun-jàh-fàhk-ngern-nèung-mèun-bàhd-châi-mǎi-kháh?)
	Thank you, sir. Please sign your name here. You want to deposit 10,000 baht, right?
A:	ใช่ นี่ครับ
	(Châi Nêe-khráhb)
	Yes. Here it is.
B:	รอสักครู่ค่ะ นี่สมุดเงินฝากของคุณนะคะ กรุณาตรวจจำนวนเงินด้วยค่ะ
	(Ror-sàhk-khrôo-khàh Nêe-sàh-mùd-ngern-fàhk-khŏng-khun-náh-kháh Kah-ru-nah-trùad-jahm-nuan-ngern-dûay-khàh)
	Wait a moment, please. This is your account book. Please check your deposit amount.

A:	ถูกต้องครับ ขอบคุณมากครับ
	(Thòok-tôhng-khráhb Khòb-khun-mâhk-khráhb)
	That's right. Thank you very much.
B:	ยินดีค่ะ
	(Yin-dee-khàh)
	You're welcome.

ตัวอย่างบทสนทนา (Model Conversation) 2

A:	ขอโทษครับ ผมขอแลกเงินดอลล่าร์เป็นเงินบาทครับ
	(Khŏr-thôhd-khráhb Phŏhm-khŏr-lâk-ngern-dollâr-pen-ngen-bàht-khráhb)
	Excuse me, I'd like to change dollars for Thai baht.
B:	จะแลกเท่าไหร่คะ?
	(Jàh-lâk-thâo-rài-kháh?)
	How much you want to change, sir?
A:	อัตราแลกเปลี่ยนวันนี้เท่าไหร่ครับ?
	(Àhd-trah-lâk-plìan-wahn-née-thâo-rài-khráhb?)
	What is the rate today?
B:	42 บาทต่อ 1 ดอลล่าร์ค่ะ
	(Sèe-sìb-sŏng-bàht-tòr-nèung-dollâr-khàh)
	42 baht for a dollar.
A:	อืม ผมขอแลก 200 เหรียญ นี่ครับ
	(Eum Phŏhm-khŏr-lâk-sŏng-rói-rĭan Nêe-khráhb)
	Well, I want to change 200 dollars. Here it is.
B:	ทั้งหมดเป็น 8,400 บาทนะคะ
	(Tháhng-mòhd-pen-pàd-phahn-sèe-rói-bàhd-náh-kháh)
	That'll be 8,400 baht altogether.
A:	ครับ
	(khráhb)
	Yes.
B:	กรุณาตรวจนับเงินด้วยค่ะ ว่าถูกต้องไหมคะ?
	(Kah-ru-nah-trùad-náhb-ngern-dûay-khàh Wâh thòok-tông-măi-kháh?)
	Please count your money. Is it correct?

A:	ถูกต้องครับ ขอบคุณครับ
	(Thòok-tông-khráhb Khòb-khun-khráhb)
	Yes. Thank you.

Useful Expressions

❑ กรุณากรอกชื่อ ที่อยู่ จำนวนเงินฝาก

Kah-ru-nah-kròk-chêu Thêe-yòo Jahm-nuan-ngern-fàhk
Please fill in your name, address and deposit amount.

❑ ขอดูพาสปอร์ตของคุณหน่อยครับ

Khŏr-doo-pásspòrt-khŏng-khun-nòi-khráhb
May I see your passport, please?

❑ เซ็นชื่อตรงนี้ครับ

Sen-chêu-trohng-née-khráhb
Please sign your name here.

❑ คุณจะฝากเงิน…บาท ใช่ไหมครับ?

Khun-jàh-fàhk-ngern-…-bàhd-châi-măi-khráhb?
You want to deposit … baht, right?

❑ กรุณาตรวจจำนวนเงินฝากด้วยครับ

Kah-ru-nah-trùad-jahm-nuan-ngern-fàhk-dûay-khráhb
Please check your deposit amount.

❑ ผมขอแลกเงินดอลล่าร์เป็นเงินบาท

Phŏhm-khŏr-lâk-ngern-dollâr-pen-ngern-bàht
I'd like to change dollars for Thai baht.

❑ จะแลกเท่าไหร่ครับ?

Jàh-lâk-thâo-rài-khráhb?
How much do you want to change?

❑ อัตราแลกเปลี่ยนวันนี้เท่าไหร่ครับ?

Àhd-trah-lâk-plìan-wahn-née-thâo-rài-khráhb?
What is the rate today?

❑ ถูกต้องไหม?

Thòok-tông-măi?
Is it correct?

❑ ผมขอสมัครทำบัตรเครดิตครับ

Phŏhm-khŏr-sàh-màhk-thahm-bàhd-credìt-khráhb
I'd like to apply for a credit card.

Services at the bank

ผมขอ... *Phŏhm-khŏr ...* I'd like to …	ฝากเงิน *fàhk-ngern* deposit the money *ออมทรัพย์ (saving deposit) ฝากประจำ (fixed time deposit)
	ถอนเงิน *thŏn-ngern* withdraw the money
	โอนเงิน *ohn-ngern* transfer the money to another account
	แลกเงิน *lâk-ngern* change the money
	กู้เงิน *kôo-ngern* ask for a loan
	จ่ายหนี้บัตรเครดิต *jài-nêe-bàhd-credìt* pay the credit card's debt
	จ่ายค่าน้ำ-ค่าไฟ *jài-khâh-náhm-khâh-fai* pay for the utilities

Vocabulary

Thai	English
เปิด *pèrd*	to open
บัญชี *bahn-chee*	an account
ใหม่ *mài*	new

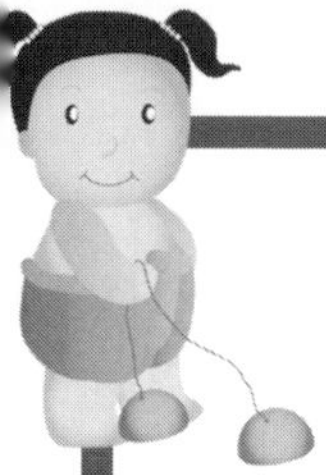

Thai	English
กรุณา *kah-ru-nah*	please
ที่อยู่ *thêe-yòo*	address
จำนวน *jahm-nuan*	amount
เซ็น *sen*	to sign
สมุดเงินฝาก *sàh-mùd-ngern-fàhk*	an account book
ตรวจ *trùad*	to check
แลก *lâk*	to change
อัตราแลกเปลี่ยน *àhd-trah-lâk-plìan*	rate
ต่อ *tòr*	per
ทั้งหมด *tháhng-mòhd*	altogether
นับ *náhb*	to count
ถูกต้อง *thòok-tông*	correct
สมัคร *sàh-màhk*	to apply
เงิน *ngern*	money
เงินสด *ngern-sòhd*	cash
เงินฝาก (n.), ฝากเงิน (v.) *ngern-fàhk (n.), fàhk-ngern (v.)*	deposit
เงินกู้ *ngern-kôo*	loan

1000-words
English-Thai Picture Dictionary

provides you frequently used vocabularies by grouping them into three interesting categories. With picture, pronunciation by native speaker, and translation, you will find Thai vocabulary easy to pronounce and remember.

Book
+
3 VCDS

Home	Family / Living room / Dining room / Bedroom / Kitchen / Bathroom / Utility room / Around the house
School	Classroom / Library / Playground / At school / Geometry / Mathematics / Colours / Calendar / Important day / Season / Weather / Time / Congratulation / Party / Subjects
The Mall	The Mall / Barber shop / Meat and fish / Vegetable and fruit / Electronic shop / Sport Equipment / Fashion / Containers and Packaged Foods / Beauty shop / Bakery / Fast food

English category

1 พูดอังกฤษในชีวิตประจำวัน (เล่ม 1-2)
เหมาะสำหรับผู้ที่มีความสนใจภาษาอังกฤษ เพื่อนำไปใช้ในชีวิตประจำวัน การเดินทาง การท่องเที่ยว การศึกษา โดยมีตัวอย่างบทสนทนากว่า 50 สถานการณ์
974-91694-6-8 : ล.1 หนังสือ+2 AudioCDs 199 บาท
974-91820-9-X : ล.2 หนังสือ+2 AudioCDs 199 บาท

2 สนทนาภาษาอังกฤษ 1,000 ประโยค
รวบรวมตัวอย่างบทสนทนาไว้ถึง 1,000 ประโยค เหมาะสำหรับผู้ที่สนใจภาษาอังกฤษ นักเรียน นักศึกษา และบุคคลทั่วไป
974-92978-0-6 : หนังสือ+2 VCDs+1MP3 240 บาท

3 พูดอังกฤษเป็นเร็ว (เล่ม 1-2)
เหมาะสำหรับผู้ที่มีความสนใจภาษาอังกฤษ เพื่อนำไปใช้ในชีวิตประจำวัน การเดินทาง การท่องเที่ยว การศึกษา ฯลฯ โดยมีตัวอย่างบทสนทนากว่า 50 สถานการณ์
974-91821-2-X : ล.1 หนังสือ+3 VCDs 240 บาท
974-91821-3-8 : ล.2 หนังสือ+3 VCDs 240 บาท

4 ภาษาอังกฤษเพื่อการเดินทาง
รวบรวมเนื้อหาและบทสนทนาในสถานการณ์ต่างๆ ที่นักเดินทางหรือนักท่องเที่ยวจำเป็นต้องใช้ รวมถึงบุคคลทั่วไปที่ต้องการฝึกทักษะการสนทนาภาษาอังกฤษเพิ่มเติมไว้มากกว่า 60 สถานการณ์
974-93943-1-3 : หนังสือ+2 VCDs 195 บาท

5 ไวยากรณ์อังกฤษเป็นเร็ว 1
ปูพื้นฐานภาษาอังกฤษตั้งแต่เริ่มต้นสำหรับผู้ที่เริ่มศึกษาไวยากรณ์อังกฤษ ในแต่ละบทมีแบบฝึกหัดเพื่อฝึกทักษะ และเฉลยอย่างละเอียด
974-92977-9-2 : หนังสือ+4 VCDs 250 บาท

English category

6 เรียนอังกฤษไวยากรณ์
รวบรวมเนื้อหาสำคัญที่ควรรู้อันเป็นพื้นฐานในการเรียนไวยากรณ์อังกฤษ มีแบบฝึกหัดเพื่อฝึกทักษะตามเนื้อหาของแต่ละบทพร้อมเฉลย และคำอธิบายหลักเกณฑ์ต่างๆ อย่างละเอียด
974-92977-8-4 : หนังสือ+3 VCDs 240 บาท

7 ภาษาอังกฤษเพื่อการทำงาน
เชี่ยวชาญการใช้ภาษาอังกฤษในที่ทำงาน การพูดและการสื่อสารอย่างเข้าใจและถูกต้อง สำหรับผู้ที่ทำงานร่วมกับชาวต่างชาติ
974-93548-8-5 : หนังสือ+3 VCDs 250 บาท

8 Tense
ให้ความกระจ่างกับทุกข้อสงสัยในเรื่อง Tense เนื้อหาเริ่มตั้งแต่พื้นฐานไปจนผู้เรียนสามารถนำหลักการต่างๆ ไปประยุกต์ใช้กับทักษะการฟัง พูด อ่าน และเขียนภาษาอังกฤษ
974-93704-7-3 : หนังสือ+5 VCDs 240 บาท

9 พูดอังกฤษธุรกิจ
รวบรวมเนื้อหาเพื่อช่วยให้ผู้ที่ทำงานในวงการธุรกิจ บริษัท ห้างร้านต่างๆ ได้ฝึกฝนภาษาอังกฤษที่ตรงกับการใช้งานจริง
974-92194-0-6 : หนังสือ+3 VCDs 270 บาท

10 อ่านอังกฤษให้เข้าใจ (เล่ม 1-2)
เทคนิคการอ่านภาษาอังกฤษให้เข้าใจง่ายๆ ภายใน 14 วัน เริ่มตั้งแต่พื้นฐานโครงสร้างประโยคไปจนผู้เรียนสามารถแปลภาษาอังกฤษให้ได้ใจความ
974-93063-8-4 : ล1 หนังสือ+4 VCDs 270 บาท
974-93367-5-5 : ล2 หนังสือ+3 VCDs 240 บาท

English category

11 ศัพท์ 1,000 คำ อังกฤษ-ไทย
รวบรวมคำศัพท์พื้นฐานภาษาอังกฤษ ที่ใช้กันอยู่บ่อยๆ ในชีวิตประจำวัน เอาไว้มากถึง 1,000 คำ ในรูปแบบการ์ตูน 3 มิติ
974-92034-5-3 : หนังสือ+3 VCDs 250 บาท

12 ชวนน้องเรียน Eng. 1
ให้ลูกน้อยเก่งภาษาอังกฤษตั้งแต่ยังไม่เข้าเรียน หรือเสริมการเรียนในห้องเรียน อนุบาล-ป.1 สนุกสนานเพลิดเพลินกับการเรียนรู้ภาษาอังกฤษในรูปแบบ Interactive Multimedia
974-92193-9-2 : หนังสือ+CD-Rom 195 บาท

13 ศัพท์ 5 ภาษา (5,000 คำ 1,000 ความหมาย)
รวบรวมคำศัพท์พื้นฐานทั้ง 5 ภาษาไทย-อังกฤษ-ฝรั่งเศส-ญี่ปุ่น-จีน 5,000 คำ 1,000 ความหมาย ภาพประกอบสีสันสดใส 4 สีทั้งเล่ม
974-92655-1-3 : หนังสือ 240 บาท

14 ศัพท์อังกฤษ-ไทย + CD-Rom ศัพท์ 4 ภาษา 1,000 คำ
รวบรวมคำศัพท์พื้นฐานภาษาอังกฤษ ที่ใช้กันอยู่บ่อยๆ ในชีวิตประจำวัน เอาไว้มากถึง 1,000 คำ พร้อมซีดีรอม ศัพท์ 4 ภาษา เพื่อฝึกทักษะการฟัง และพูดจากเจ้าของภาษา
974-93704-1-4 : หนังสือ+2CD-Rom 250 บาท

เพื่อพัฒนาการที่ดีทางภาษาอังกฤษสำหรับทุกคน

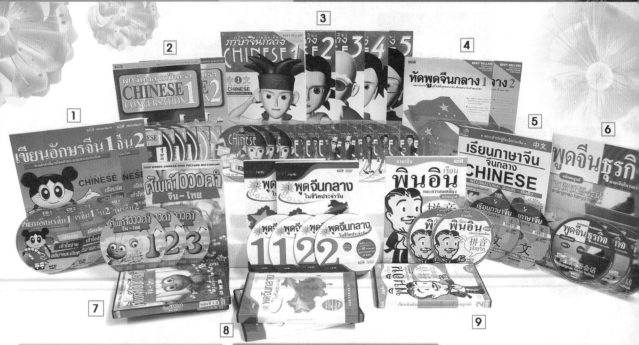

Chinese category

1 **เขียนอักษรจีน** (เล่ม 1-2)
เรียนรู้ทักษะการเขียนอักษรจีนได้อย่างถูกวิธี พร้อมตัวอย่างกลุ่มคำและประโยคพร้อมเสียงบรรยายวิธีการเขียนตามลำดับขีดตัวอักษร

974-92035-2-6 : ล.1 หนังสือ+2 VCDs 180 บาท
974-92035-3-4 : ล.2 หนังสือ+2 VCDs 180 บาท

2 **พูดจีนกลางเป็นเร็ว** (เล่ม 1-2)
ฝึกพูดจีนกลางกับเจ้าของภาษา ด้วยบทสนทนาในสถานการณ์ต่างๆ ที่ใช้จริงในชีวิตประจำวัน เพื่อให้สามารถนำไปสนทนากับชาวจีนได้อย่างรวดเร็วขึ้น โดยมีตัวอย่างบทสนทนากว่า 50 สถานการณ์

974-92655-5-6 : ล.1 หนังสือ+3 VCDs 240 บาท
974-92655-6-4 : ล.2 หนังสือ+3 VCDs 240 บาท

3 **เรียนภาษาจีนกลางง่ายนิดเดียว** (เล่ม 1-5)
สำหรับผู้เรียนที่ไม่มีพื้นฐานความรู้ภาษาจีนกลางมาก่อน เนื้อหาเน้นการออกเสียง, การสนทนา และการอ่าน พร้อมคำศัพท์และแบบฝึกหัดทบทวนบทเรียน เพื่อให้การเรียนภาษาจีนมีประสิทธิภาพมากยิ่งขึ้น

974-91330-9-9 : ล.1 หนังสือ+3 VCDs 240 บาท
974-91331-0-2 : ล.2 หนังสือ+3 VCDs 240 บาท
974-91496-8-8 : ล.3 หนังสือ+3 VCDs 240 บาท
974-91496-9-6 : ล.4 หนังสือ+3 VCDs 240 บาท
974-91497-0-X : ล.5 หนังสือ+3 VCDs 240 บาท

4 **หัดพูดจีนกลาง** (เล่ม 1-2)
สนุกกับถ้อยคำสำนวนภาษาจีนที่นิยมใช้กันในชีวิตประจำวันหลากหลายสถานการณ์ กับตัวอย่างประโยคกว่า 130 ประโยค พร้อมด้วยคำศัพท์กว่า 200 คำ สามารถนำไปสนทนากับชาวจีนได้อย่างรวดเร็ว

974-92655-3-X : ล.1 หนังสือ+3 VCDs 240 บาท
974-92655-4-8 : ล.2 หนังสือ+3 VCDs 240 บาท

5 **เรียนภาษาจีน** (จีนกลาง)
รู้จักกับภาษาจีน การอ่านพินอิน คำศัพท์ง่ายๆในชีวิตประจำวัน คำทักทาย-แนะนำตัว ความสัมพันธ์ระหว่างคนและชื่อเรียกฯลฯ โดยจัดแบ่งเป็นหมวดหมู่เพื่อให้ผู้เรียนมีความเข้าใจมากขึ้น

974-91167-7-1 : หนังสือ+2 VCDs 195 บาท

Chinese category

6 **พูดจีนธุรกิจ**
รวบรวมเนื้อหาเพื่อช่วยให้ผู้ที่ทำงานในวงการธุรกิจ บริษัท ห้างร้านต่างๆ ได้ฝึกฝนภาษาจีนที่ตรงกับการใช้งานจริง อีกทั้งยังได้มีโอกาสพัฒนาความสามารถให้ดียิ่งๆ ขึ้นไป

974-93874-4-8 : หนังสือ+3VCDs 240 บาท

7 **ศัพท์ 1,000 คำ จีน-ไทย**
รวบรวมคำศัพท์พื้นฐานภาษาจีนที่ใช้กันบ่อยๆ ในชีวิตประจำวันเอาไว้มากถึง 1,000 คำ ในรูปแบบการ์ตูน 3 มิติ

974-92034-4-5 : หนังสือ+3VCDs 250 บาท

8 **พูดจีนกลางในชีวิตประจำวัน** (เล่ม 1-2)
เหมาะสำหรับผู้ที่สนใจในภาษาจีนเพื่อนำไปใช้ในชีวิตประจำวัน การเดินทาง, การท่องเที่ยว, การศึกษา การต้อนรับนักท่องเที่ยวชาวต่างชาติ พร้อมฝึกทักษะการออกเสียงจากเจ้าของภาษา

974-91694-8-4 : ล.1 หนังสือ+2 AudioCDs 199 บาท
974-91820-8-1 : ล.2 หนังสือ+2 AudioCDs 199 บาท

9 **เรียนพินอินและการออกเสียง** (ฉบับสมบูรณ์)
รวบรวมเนื้อหาที่มาของตัวอักษร พยัญชนะ และสระในพินอิน ตารางการผสมระหว่างพยัญชนะ สระ และวรรณยุกต์ เพื่อให้ผู้เรียนสามารถอ่านและออกเสียงภาษาจีนได้อย่างถูกต้อง

974-91821-4-6 : หนังสือ+2VCDs 195 บาท

ภาษาฝรั่งเศส

10 **เรียนลัดภาษาฝรั่งเศส** (เล่ม 1-2)
ครอบคลุมเนื้อหาว่าด้วยหลักไวยากรณ์เบื้องต้น, วัฒนธรรม, สนทนาในชีวิตประจำวัน, คำศัพท์ และสำนวนที่ใช้บ่อย พร้ แบบฝึกหัดท้ายบทเพื่อให้การเรียนภาษาฝรั่งเศสมีประสิทธิภ มากยิ่งขึ้น

974-91497-1-8 : ล.1 หนังสือ+3VCDs 270 บ
974-91497-2-6 : ล.2 หนังสือ+2VCDs 240 บ

11 **เตรียมตัวไปฝรั่งเศส**
คู่มือที่ช่วยเตรียมความพร้อมทางด้านภาษาและวัฒนธรรม ประเทศฝรั่งเศส สำหรับการติดต่อสื่อสารกับชาวฝรั่งเศสไ ยิ่งขึ้น

974-92194-2-2 : หนังสือ+4VCDs 290 บ

12 **พูดฝรั่งเศสเป็นเร็ว** (เล่ม 1-2)
เหมาะสำหรับผู้ที่มีความสนใจในภาษาฝรั่งเศสเพื่อการนำไป ในชีวิตประจำวัน การเดินทาง การท่องเที่ยว การศึกษา โด ตัวอย่างบทสนทนากว่า 50 สถานการณ์

974-91497-4-2 : ล.1 หนังสือ+3VCDs 240 บ
974-91497-5-0 : ล.2 หนังสือ+3VCDs 240 บ

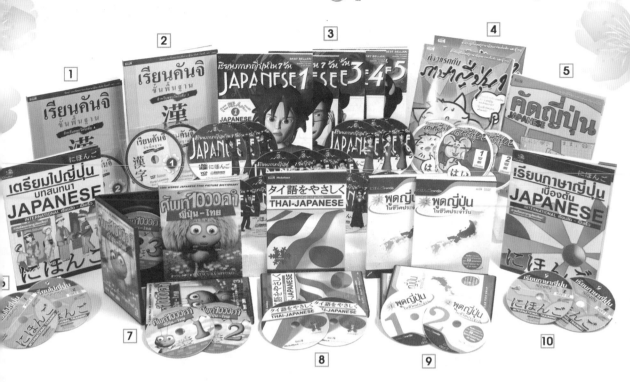

apanese category

เรียนคันจิขั้นพื้นฐาน (สำหรับสอบวัดระดับ 4)
เหมาะสำหรับนำไปใช้ในการสอบวัดความรู้ทางภาษาญี่ปุ่นและการอ่านในด้านต่างๆ เพื่อการเรียนภาษาญี่ปุ่นในระดับที่สูงขึ้น
974-92194-5-7 : หนังสือ+2 VCDs 240 บาท

เรียนคันจิขั้นพื้นฐาน (สำหรับสอบวัดระดับ 3)
เหมาะสำหรับนำไปใช้ในการสอบวัดระดับ 3 การใช้ในชีวิตประจำวัน และการอ่านในด้านต่างๆ ลำดับการเขียน ความหมายของตัวอักษรคำศัพท์ รูปประโยคตัวอย่าง แบบฝึกหัดพร้อมเฉลย
974-92193-7-6 : หนังสือ+2 VCDs 240 บาท

เรียนภาษาญี่ปุ่นใน 7 วัน (เล่ม 1-5)
ประกอบด้วย หลักไวยากรณ์ โครงสร้างภาษาญี่ปุ่น รูปประโยคตัวอย่างพร้อมทั้งดรรชนีคำศัพท์ท้ายเล่ม สำหรับผู้ที่สนใจในภาษาญี่ปุ่น เพื่อประโยชน์ในการทำงานและการศึกษาต่อ
974-91330-7-2 : ล.1 หนังสือ+3 VCDs 240 บาท
974-91330-8-0 : ล.2 หนังสือ+2 VCDs 240 บาท
974-91496-5-3 : ล.3 หนังสือ+3 VCDs 240 บาท
974-91496-6-1 : ล.4 หนังสือ+3 VCDs 240 บาท
974-91496-7-X : ล.5 หนังสือ+3 VCDs 240 บาท

ก้าวแรกกับภาษาญี่ปุ่น (เล่ม 1-2)
ปูพื้นฐานภาษาญี่ปุ่นสำหรับผู้ที่ไม่เคยรู้ภาษาญี่ปุ่นมาก่อน โดยเริ่มจากการศึกษาจากตัวอักษร ฮิรางานะ คาตากานะ และคันจิอย่างง่ายๆ พร้อมทั้งแบบฝึกหัดเพื่อทบทวนความเข้าใจ มีคำอธิบายภาษาไทย และออกเสียงภาษาญี่ปุ่นโดยเจ้าของภาษา
974-93063-7-6 : ล.1 หนังสือ+2 VCDs 199 บาท
974-93704-2-2 : ล.2 หนังสือ+2 VCDs 199 บาท

คัดญี่ปุ่น
สำหรับผู้ที่ต้องการฝึกเขียนอักษรญี่ปุ่นโดยเน้นทักษะการเขียนเพื่อให้สามารถจำตัวอักษรภาษาญี่ปุ่นได้
974-94140-4-7 : แบบฝึกคัดอักษร 49 บาท

Japanese category

6 **เตรียมไปญี่ปุ่น (บทสนทนา)**
ประกอบด้วยเนื้อหาที่เกี่ยวกับบทสนทนาในโอกาสต่างๆ เช่น สำนวนที่จำเป็นในชีวิตประจำวัน แนะนำตัว-ทักทาย ซื้อของ ถามทาง เมื่อไม่สบาย ตัดผม แจ้งตำรวจ ฯลฯ
974-90507-8-9 : หนังสือ+2 VCDs 195 บาท

7 **ศัพท์ 1,000 คำ ญี่ปุ่น-ไทย**
รวบรวมคำศัพท์พื้นฐานภาษาญี่ปุ่นที่ใช้กันอยู่บ่อยๆ ในชีวิตประจำวันเอาไว้มากถึง 1,000 คำ ในรูปแบบการ์ตูน 3 มิติ
974-92346-7-7 : หนังสือ+3 VCDs 250 บาท

8 **สอนภาษาไทยให้คนญี่ปุ่น**
สำหรับคนไทยที่ต้องการสอนชาวญี่ปุ่นให้เรียนรู้ภาษาไทย ตั้งแต่โครงสร้างของภาษาไทย บทสนทนาในชีวิตประจำวันอย่างง่ายๆ เช่น การทักทาย/การแนะนำตัวเอง ตัวเลข/วัน/เวลา การซื้อของ การขึ้นรถแท็กซี่ ฯลฯ
974-92193-5-X : หนังสือ+2 AudioCDs 350 บาท

9 **พูดญี่ปุ่นในชีวิตประจำวัน (เล่ม 1-2)**
เหมาะสำหรับผู้ที่มีความสนใจภาษาญี่ปุ่น เพื่อนำไปใช้ในการเดินทาง การท่องเที่ยว การศึกษา การต้อนรับนักท่องเที่ยวชาวต่างชาติและการนำไปใช้ในชีวิตประจำวัน พร้อมฝึกทักษะจากเจ้าของภาษา โดยมีตัวอย่างบทสนทนากว่า 50 สถานการณ์
974-91694-7-6 : ล.1 หนังสือ+2 AudioCDs 199 บาท
974-91820-7-3 : ล.2 หนังสือ+2 AudioCDs 199 บาท

10 **เรียนภาษาญี่ปุ่นเบื้องต้น**
สำหรับผู้ที่ไม่มีพื้นฐานความรู้ในภาษาญี่ปุ่นมาก่อน และต้องการปูพื้นฐานความรู้ไปสู่ระดับสูง เนื้อหาประกอบด้วย ไวยากรณ์ที่ควรรู้ ตารางอักษร คำคุณศัพท์กลุ่ม -i และ -na การผันคำกริยา ร่างกาย สี การสื่อสาร บ้านและห้องต่างๆ แนวภาพยนตร์ แนวดนตรีและสถานที่ต่างๆ ฯลฯ
974-90507-7-0 : หนังสือ+2 VCDs 195 บาท

German

11 **เรียนเยอรมัน 1**
เหมาะสำหรับนักศึกษา นักธุรกิจ และบุคคลทั่วไปที่สนใจในภาษาเยอรมัน ตัวอย่างประโยคล้วนเป็นสำนวนที่พบบ่อย ซึ่งสามารถนำไปใช้ได้จริงในชีวิตประจำวัน พร้อมบทสนทนา ไวยากรณ์ และเกร็ดความรู้ต่างๆ ทุกบทเรียน พร้อมฝึกทักษะการฟังจากเจ้าของภาษา
974-93064-0-6 : หนังสือ+3 VCDs 240 บาท

12 **เรียนเยอรมันเบื้องต้น**
สำหรับผู้ที่ต้องการศึกษาภาษาเยอรมันขั้นพื้นฐาน เริ่มตั้งแต่พยัญชนะ คำศัพท์ ไวยากรณ์ และบทสนทนาที่เข้าใจง่าย
974-92977-7-6 : หนังสือ+3 VCDs 240 บาท

Multimedia Education

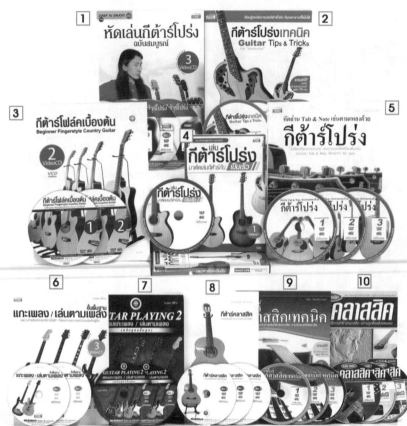

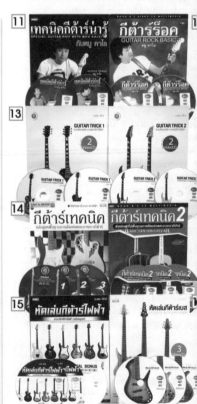

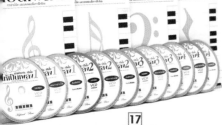

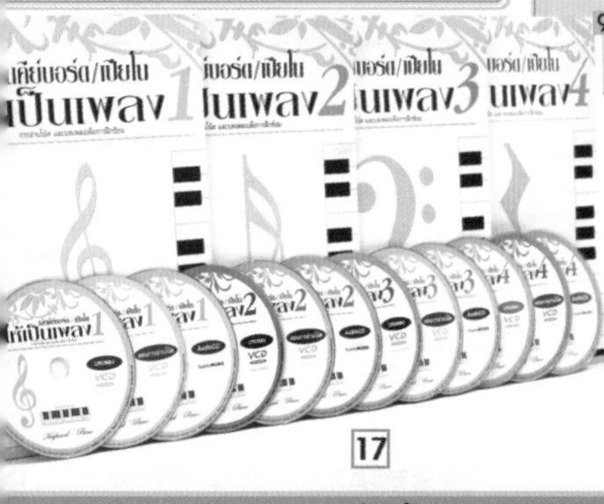

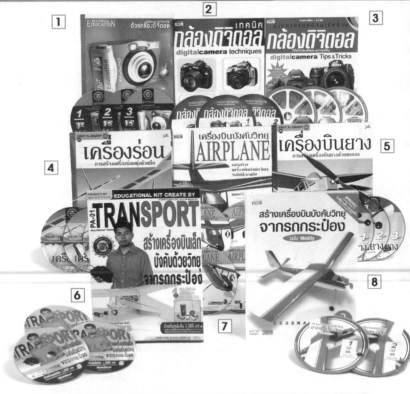

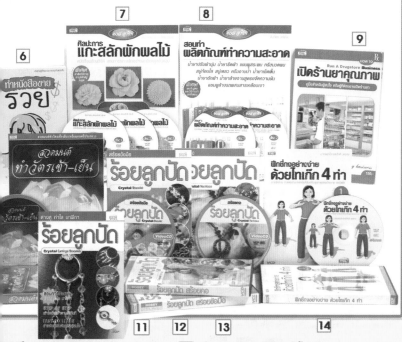

108 อาชีพ

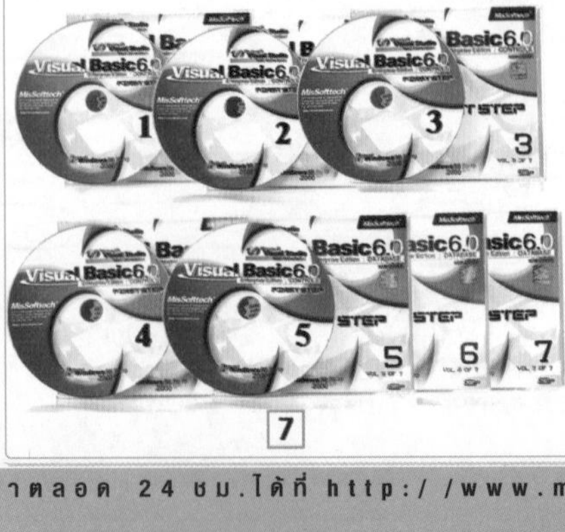

สินค้าแนะนำ

1 เรียนคอร์ดและสเกลคีย์บอร์ด / เปียโน
ประกอบด้วยเนื้อหาในเรื่อง Chord และ Scale เป็นหลัก โดยเริ่มจากรู้จักคอร์ดชนิดต่างๆ วิธีการจับคอร์ด รวมถึงเทคนิคการเล่นคอร์ดและสเกลหลายๆ รูปแบบ ซึ่งเป็นหลักการเบื้องต้นของการเล่นดนตรี ถ่ายทอดโดย เก่ง Rockestra
974-94286-2-5 : หนังสือ+3 VCDs 270 บาท

2 หัดจับคอร์ดคีย์บอร์ด & เปียโน
เหมาะสำหรับผู้ที่เริ่มฝึกเล่นเครื่องดนตรีชนิดนี้ เนื้อหาจะมุ่งเน้นวิธีจับคอร์ดขั้นพื้นฐานสำหรับผู้เริ่มต้น โดยอธิบายและยกตัวอย่างพื้นที่และตำแหน่งในการจับคอร์ดทางมือซ้ายในกลุ่มทางเดินของคอร์ดรูปแบบต่างๆ เพื่อให้จับคอร์ดได้ถูกต้อง
974-99465-9-3 : หนังสือ+4 VCDs 270 บาท

3 เบสเบื้องต้น
เนื้อหาเริ่มตั้งแต่รู้จักโครงสร้างต่างๆ และระบบการทำงานของตัวเบส แนะนำอุปกรณ์ที่ใช้ร่วมกับเบส การตั้งสาย การปรับแต่งเสียง ไปจนถึงสัดส่วนของตัวโน้ตเพื่อฝึกดีดและสาธิตวิธีการเล่นเบสตามจังหวะต่างๆ กว่า 10 จังหวะ
974-94699-4-1 : หนังสือ+3 VCDs+1 AudioCD 270 บาท

4 ตีกลอง 12 สไตล์
สอนการตีกลองหลายสไตล์จากประสบการณ์ของนักดนตรีมืออาชีพ เพื่อเป็นแนวทางสำหรับผู้เริ่มต้น หรือมือกลองรุ่นใหม่ได้มีแนวทางคร่าวๆ ในการเลือกสไตล์การตีกลองให้เหมาะกับตนเอง ถ่ายทอดโดย อ๊อฟ พิสิษฐพัฒน์ คงฤทธิ์ มือกลองยอดเยี่ยม ปี 2527 จากสมาคมดนตรีแห่งประเทศไทย
974-99466-0-7 : หนังสือ+3 VCDs+1 AudioCD 270 บาท

5 กีต้าร์คอร์ดและสเกล
เรียนรู้โครงสร้างของสเกล C major ที่ถือเป็นแม่แบบของสเกลตัวอื่นๆ อย่างละเอียด เพื่อสร้างคอร์ดในรูปแบบต่างๆ ได้หลากหลายขึ้น และอธิบายวิธีคิดสเกลและคอร์ดที่เข้าใจได้ง่ายในเวลาอันรวดเร็ว สามารถจับคอร์ดได้โดยไม่ต้องจำ
974-99465-6-9 : หนังสือ+3 VCDs 270 บาท

6 กีต้าร์ไฟฟ้าเทคนิคกับหมู คาไล
สอนวิธีการนำเทคนิคต่างๆ ของการเล่นกีต้าร์มาดัดแปลงผสมผสานลูกเล่นให้เกิดความชำนาญเพื่อสร้างสรรค์และฝึกฝนกีต้าร์สู่ความสำเร็จในสไตล์ที่มีเอกลักษณ์เฉพาะตัวของ หมู คาไล
974-94699-6-8 : หนังสือ+3 VCDs 270 บาท

7 กีต้าร์โซโล่
สื่อการสอนชุดนี้มีเนื้อหาต่อเนื่องจาก **กีต้าร์คอร์ดและสเกล** เหมาะสำหรับการฝึกกีต้าร์อย่างจริงจัง ซึ่งชุดนี้จะอธิบายที่มาและโครงสร้างทุก Mode อย่างละเอียดโดยมีวิธีคิดแบบทางลัด สามารถประยุกต์ใช้กับการฝึกลูก Solo ใน Mode และ Scale ต่างๆ เพื่อนำมาดัดแปลงสร้างสรรค์การเล่นกีต้าร์ให้มีสไตล์การเล่นในแบบของตนเอง
974-99465-7-7 : หนังสือ+4 VCDs 270 บาท

8 เล่นตามเพลงสากลด้วยกีต้าร์โปร่ง 1, 2
สื่อการสอนรูปแบบของการเล่นตามเพลงโดยใช้กีต้าร์โปร่งเพียงตัวเดียว พร้อมสอนการเล่นแบบเต็มเพลงในสไตล์โฟล์ค ซึ่งในแต่ละเพลงได้แกะและพยายามเขียนลูกเล่นที่มีการเล่นสอดแทรกต่างๆ ไว้มากมาย
974-93943-2-1 : ล.1 หนังสือ+2 VCDs 150 บาท
974-93943-3-x : ล.1 หนังสือ+2 VCDs 150 บาท

9 คีย์บอร์ดเป็นเร็ว
เหมาะสำหรับผู้ที่เริ่มต้นเล่นคีย์บอร์ดตั้งแต่ไม่เป็นเลย เนื้อหาเริ่มจากการรู้จักกับตัวโน้ตบนลิ่มคีย์บอร์ด พื้นที่และตำแหน่งในการเล่น วิธีการจับคอร์ดเบื้องต้น สอนเล่นเป็นเพลงด้วยการใช้มือซ้ายกดคอร์ดมือขวาเล่นทำนองเพลงอย่างสัมพันธ์กัน เพื่อสามารถบรรเลงเพลงได้อย่างต่อเนื่องและไพเราะ
974-94699-3-3 : หนังสือ+1 VCD 120 บาท

MISBook.com

MIS Call Center

0-2294-8777
(Auto Line)

สั่งซื้อสินค้าตลอด 24 ชม.ได้ที่ http://www.misbook.com

HOBBY LIFE

LANGUAGE Life ภาษาอังกฤษ, เยอรมัน

1 พูดอังกฤษ 1,200 ประโยค
เหมาะสำหรับผู้ที่กำลังจะเดินทางไปต่างประเทศ แต่ไม่ส ภาษาอังกฤษได้เลย หรืออาจจะพูดได้บ้างนิดหน่อย โดยเนื้อ พูดประโยคสนทนาพื้นฐาน เช่น ด้านการเดินทาง, การท่อง ศึกษา และการดำรงชีวิตประจำวัน ช่วยให้ผู้เรียนสามารถ ชาวต่างชาติได้อย่างมั่นใจ
974-94465-5-0 : หนังสือ+4 VCDs 24

2 พูดอังกฤษในชีวิตการทำงาน
เหมาะสำหรับผู้ที่ต้องการพัฒนาทักษะด้านการสื่อสารภา เพื่อเพิ่มประสิทธิภาพในการทำงาน เรียนบทสนทนาจากส จริง พร้อมสำนวนการพูดที่ถูกต้อง เหมาะสม สามารถนำ ได้จริงในชีวิตการทำงาน
978-974-9764-12-1 : หนังสือ+3 VCDs 24

3 พูดอังกฤษให้ฝรั่งเข้าใจ
บทฝึกฝนสำหรับผู้ที่ไม่กล้า Speak English พบกับตัวอย่าง จากสถานการณ์เสมือนจริง เนื้อหาเน้นการสนทนาโดยตรง ซึ่งคุณจะสามารถฟังรู้เรื่อง ถามได้-ตอบได้ พูดเป็นในเวลา
978-974-9764-01-5 : หนังสือ+1 VCD 9

4 พูดอังกฤษเป็นเร็ว สำหรับคนเริ่มทำงาน
เตรียมความพร้อมด้านภาษาอังกฤษสำหรับผู้ที่เริ่มทำงาน ทักษะความสามารถทางด้านภาษาอังกฤษให้เชี่ยวชาญยิ่งขึ้ คนทำงานที่มีเจ้านายเป็นฝรั่ง
978-974-9764-29-9 : หนังสือ+1 VCD 12

5 ติว Eng. เตรียม Ent' **(ชุดที่ 1)**
แนะนำส่วนต่างๆ ในข้อสอบเอ็นทรานซ์ พร้อมเทคนิคการ ประกอบกับตัวอย่างข้อสอบเอ็นทรานซ์จริง และภาคผนว เกร็ดความรู้ พูด อ่าน และเขียน ถือเป็นภาคทฤษฎีเพื่อเต ข้อสอบจริงในภาคปฏิบัติ
978-974-9764-06-0 : หนังสือ+4 VCDs 24

6 ติว Eng. เตรียม Ent' **(ชุดที่ 2)**
ตัวอย่างข้อสอบเอ็นทรานซ์พร้อมวิธีการทำทีละข้อของข้ บทสนทนาและแบบเติมคำในช่องว่าง ซึ่งคัดมาจากข้อสอบเ ในปีที่ผ่านๆ มา สามารถนำไปปรับใช้ได้กับข้อสอบทุก อธิบายพื้นฐานความรู้เชิงโครงสร้างที่จำเป็นต่อการทำข้อส ศัพท์ควรรู้
978-974-9764-07-7 : หนังสือ+6VCDs 25

7 ติว Eng. เตรียม Ent' **(ชุดที่ 3)**
ตัวอย่างข้อสอบ 2 (Reading) ส่วนทดสอบการอ่าน มีทั้ จดหมาย บทกวี การ์ตูน เรื่องสั้น ฯลฯ เพื่อให้ครอบคลุม ข้อสอบแต่ละแบบ พร้อมคำศัพท์ควรรู้และเทคนิคการอ่านจั อย่างรวดเร็ว การตีความโจทย์ และการตัดตัวเลือก
978-974-9764-08-4 : หนังสือ+5VCDs 24

8 ติว Eng. เตรียม Ent' **(ชุดที่ 4)**
ส่วนที่เพิ่มเข้ามาในข้อสอบภาษาอังกฤษระบบ admission มี หลักๆ คือ คำศัพท์ (vocabulary) และการหาข้อผิด (error c พื้นฐานที่ควรรู้ สำหรับการทำข้อสอบหาข้อผิดทั้งทางด้าน โครงสร้าง และคำศัพท์ ชี้ประเด็นที่มักถูกถาม พร้อมตัวอย่ หาข้อผิด และอธิบายศัพท์อย่างละเอียด
978-974-9764-09-1 : หนังสือ+5VCDs 24

9 ตัวช่วย ติว Ent'
รวบรวมคำกริยา (Verbs) ที่มาคู่กับคำบุพบท (Prepositio วลี (Phrasal Verbs) สำนวน (Idioms) สุภาษิต (Proverbs) (Root) อุปสรรค (Prefix) ปัจจัย (Suffix) ที่พบบ่อยในข้อส
978-974-9764-05-3 : หนังสือ 6

10 พูดเยอรมันเป็นเร็ว **(ชุดที่ 1-2)**
เหมาะสำหรับผู้ที่สนใจในภาษาเยอรมัน เนื้อหาประกอบด้วย ในสถานการณ์ต่างๆ ซึ่งเป็นสำนวนที่ใช้บ่อยในชีวิตประจำวัน ประโยคและบทสนทนาโดยเจ้าของภาษา คำอ่าน และค ภาษาไทย สามารถเรียนรู้ได้ง่ายด้วยตนเอง
974-94286-4-1 : ล.1 หนังสือ+4 VCDs 24
974-94286-5-x : ล.2 หนังสือ+4 VCDs 24

11 พูดเยอรมันในชีวิตประจำวัน **(ชุดที่ 1-2)**
เหมาะสำหรับผู้ที่สนใจเรียนรู้ภาษาเยอรมัน เพื่อการนำไป ประจำวัน เนื้อหาประกอบด้วยบทสนทนาในสถานการณ์ต่ รู้ง่ายด้วยตนเอง พร้อมฝึกทักษะการออกเสียงที่ถูกต้องจ ภาษา
974-94466-1-5 : ล.1 หนังสือ+2 AudioCDs 19
974-94466-2-3 : ล.2 หนังสือ+2 AudioCDs 19

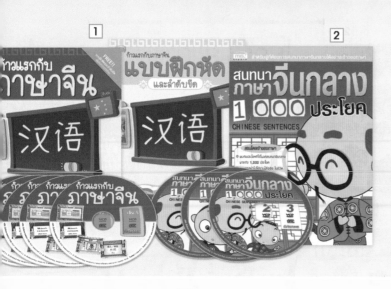

1 2

3 4 5

6

เรียนภาษาญี่ปุ่น
กับติวเตอร์ส่วนตัว
เข้าใจง่าย พูดได้ทันที

1 ก้าวแรกกับภาษาจีน

เนื้อหาประกอบด้วย โครงสร้างประโยคภาษาจีนอย่างง่ายที่ควรรู้ คำศัพท์ ไวยากรณ์ การออกเสียงและวิวัฒนาการของอักษรจีน โดยจัดแบ่งบทเรียนออกเป็น 10 บทต่อเนื่อง เพื่อให้ผู้เรียนได้ค่อยๆ ศึกษาและเข้าใจเนื้อหาได้ง่ายขึ้น

974-94699-9-2 : หนังสือ+5VCDs 240 บาท

2 สนทนาภาษาจีนกลาง 1,000 ประโยค

รวบรวมประโยคที่ใช้จริงในชีวิตประจำวัน เช่น การทักทาย การแนะนำตัว การกล่าวลา การนัดหมาย ฯลฯ ในแต่ละบทยังได้กล่าวถึงวัฒนธรรมการใช้ภาษาของชาวจีนอีกด้วย

978-974-9764-12-1 : หนังสือ+3 VCDs 240 บาท

3 สนทนาภาษาเกาหลี 1,000 ประโยค

เหมาะสำหรับนักเรียน นักศึกษา และบุคคลทั่วไปที่ต้องการจะฝึกพูดภาษาเกาหลี เนื้อหาเน้นการสนทนาด้วยประโยคสนทนาแบบสั้นๆ ที่มักเจอในชีวิตประจำวัน ผู้เรียนจะได้ฝึกฟังและพูดตามเจ้าของภาษา ซึ่งจะช่วยให้พูดภาษาเกาหลีได้เร็วและง่ายยิ่งขึ้น

974-94699-2-5 : หนังสือ+3VCDs 240 บาท

4 เรียนภาษาเกาหลีเบื้องต้น

มีเนื้อหาตั้งแต่ตัวอักษรในภาษาเกาหลี ไวยากรณ์ขั้นพื้นฐาน คำศัพท์ และบทสนทนา พร้อมประโยคสนทนาที่ใช้ในชีวิตประจำวันจากเจ้าของภาษา มีแบบฝึกหัดให้ทบทวนท้ายบท

978-974-9764-14-5 : หนังสือ+4VCDs 240 บาท

5 คัดเกาหลี

ฝึกคัดตัวอักษร เรียนคำศัพท์ พร้อมสนุกไปกับเกมส์ที่ช่วยให้จดจำตัวอักษรและคำศัพท์ภาษาเกาหลีได้แม่นยำขึ้น

978-974-9764-23-7 : หนังสือ 65 บาท

6 พูดญี่ปุ่นเป็นเร็ว (เล่ม1-2)

เนื้อหาประกอบด้วยบทสนทนาในสถานการณ์ต่างๆ ซึ่งเป็นสำนวนที่ใช้บ่อยในชีวิตประจำวัน ออกเสียงประโยคและบทสนทนาโดยชาวญี่ปุ่น ซึ่งจะช่วยให้ผู้เรียนสามารถฝึกทักษะการออกเสียงให้ใกล้เคียงกับเจ้าของภาษาได้เป็นอย่างดี มีคำอ่านและคำแปลเป็นภาษาไทย พร้อมคำอธิบายประจำบท สามารถเรียนรู้ได้ง่ายด้วยตนเอง

974-93764-4-7 : ล 1 หนังสือ+5VCDs 240 บาท
974-93764-3-9 : ล 2 หนังสือ+5VCDs 240 บาท

Japanese BoxSet

ฟัง พูด อ่าน เขียน ภาษาญี่ปุ่น

เนื้อหาเริ่มศึกษาตั้งแต่ตัวอักษรควบคู่กับการเรียนไวยากรณ์พื้นฐาน พร้อมตัวอย่างบทสนทนากว่า 100 สถานการณ์ ซึ่งเป็นสำนวนที่นิยมใช้ในชีวิตประจำวัน โดยทั้งหมดนี้จะทำให้ผู้เรียนสามารถสนทนาภาษาญี่ปุ่นได้อย่างรวดเร็ว ที่สำคัญยังเป็นพื้นฐานที่ดีในการเรียนภาษาญี่ปุ่นขั้นสูงต่อไป

978-974-9764-13-8 : หนังสือ 4 เล่ม+14VCDs 799 บาท

ภาษาญี่ปุ่น
ราคาพิเศษ
799.-

HOBBY & MUSIC Life

1 2 3 4

Hobby Life

1 เทคนิคการวัดแสงด้วยกล้องดิจิตอล

สอนเทคนิคการวัดแสงช่วยให้ผู้ใช้กล้องดิจิตอลมีความเข้าใจในส่วนของการวัดแสงและการชดเชยแสงได้ดียิ่งขึ้น เพื่อพัฒนาฝีมือในการถ่ายภาพ เนื้อหาทั้งหมดถ่ายทอดจากประสบการณ์ตรงของนักถ่ายภาพมืออาชีพ

974-9764-00-5 : หนังสือ +4VCDs — 240 บาท

2 สอนใช้กล้อง Canon EOS Digital

คู่มือการใช้งานกล้อง DSLR ยี่ห้อ Canon ชุดนี้ เป็นการสรุปขั้นตอนและการใช้งานในส่วนต่างๆ ของกล้อง เพื่อให้ผู้อ่าน โดยเฉพาะมือใหม่ได้เข้าใจวิธีการใช้งานปุ่ม หรือฟังก์ชันการทำงานต่างๆ ในตัวกล้อง และอุปกรณ์อื่นๆ ซึ่งจะช่วยให้เราสามารถใช้งานกล้องได้อย่างถูกต้อง

978-974-9764-37-4 : หนังสือ+2VCDs — 199 บาท

3 โยคะเพื่อสุขภาพ

การออกกำลังกายตามแบบโยคะนั้น ถือเป็นการดูแลรักษาสุขภาพไปพร้อมๆ กับการพัฒนาทางด้านจิตใจ ควบคุมสมาธิให้เกิดความมั่นคง เนื้อหาภายในหนังสือและวีซีดีชุดนี้ได้บรรยายหลักสำคัญในการฝึกโยคะ และสาธิตอาสนะต่างๆ อย่างละเอียด เพื่อให้ผู้ที่เริ่มต้นสามารถปฏิบัติตามได้ทันที

978-974-9764-10-7 : หนังสือ+2VCDs+1AudioCD — 250 บาท

4 ตัดเพลง ต่อหนัง ไรท์แผ่น

สร้างไฟล์มัลติมีเดียทุกรูปแบบด้วยขั้นตอนง่ายๆ ทำได้ด้วยตัวคุณเอง

- **สอนการตัดเพลง**
  แปลงไฟล์เสียงเพื่อนำไปใช้ให้ตรงตามความต้องการ
- **สอนการต่อหนัง**
  สร้าง Clip Video จากฉากประทับใจของภาพยนตร์ที่คุณชื่นชอบ
- **ไรท์แผ่น**
  การเขียนแผ่น CD / DVD ด้วยโปรแกรมชุด Nero

978-974-9764-02-2 : หนังสือ+1 CD-Rom — 99 บาท

Electric Guitar

5 เล่นกีต้าร์ไฟฟ้าเป็นใน 50 ชั่วโมง

สำหรับผู้เริ่มต้นเล่นกีต้าร์ หรือแม้แต่ผู้ที่เล่นไม่เป็นเลยแต่มีใจรักในเสียงกีต้าร์ หลักสูต เร่งรัดชุดนี้จะทำให้คุณเล่นเป็นเพลงได้ โดยการจัดทำเป็นตารางฝึกซ้อมตามขั้นตอ ในแต่ละวันสำหรับฝึกเล่นที่บ้าน เหมาะสำหรับผู้เริ่มต้น และคนที่ไม่มีเวลาไปเรียน โรงเรียนสอนดนตรี

978-974-9764-11-4 : หนังสือ +6 VCDs+1 AudioCD — 350 บาท

6 GUITAR CHORD & BASS NOTE

รหัส 8850742345679 : 30 บาท

5

6

เสริมทักษะนอกห้องเรียน ป.1-6

ช่วย!
- ผู้ปกครองสอนลูก
- ครูเสริมความเข้าใจให้นักเรียน
- นักเรียนติวก่อนสอบ

1 คณิตศาสตร์ประถมศึกษาปีที่ 1-6
สื่อการสอนเสริมวิชาการที่นำเสนอวิธีการสอนในรูปแบบ Animation Multimedia อธิบายเนื้อหาทุกหัวข้อในบทเรียนอย่างละเอียด พร้อมตัวอย่างประกอบที่เข้าใจง่ายไม่น่าเบื่อ

974-94697-0-4	: ล.1 หนังสือ+CD-Rom	199 บาท
974-94697-1-2	: ล.2 หนังสือ+CD-Rom	199 บาท
974-94697-2-0	: ล.3 หนังสือ+CD-Rom	199 บาท
974-94697-3-9	: ล.4 หนังสือ+CD-Rom	199 บาท
974-94697-4-7	: ล.5 หนังสือ+CD-Rom	199 บาท
974-94697-5-5	: ล.6 หนังสือ+CD-Rom	199 บาท

2 ภาษาอังกฤษประถมศึกษาปีที่ 1-6
สื่อการสอนเสริมวิชาการที่นำเสนอวิธีการสอนในรูปแบบ Animation Multimedia อธิบายเนื้อหาทุกหัวข้อในบทเรียนอย่างละเอียด พร้อมตัวอย่างประกอบที่เข้าใจง่ายไม่น่าเบื่อ

974-94698-2-8	: ล.1 หนังสือ+CD-Rom	199 บาท
974-94698-3-6	: ล.2 หนังสือ+CD-Rom	199 บาท
974-94698-4-4	: ล.3 หนังสือ+CD-Rom	199 บาท
974-94698-5-2	: ล.4 หนังสือ+CD-Rom	199 บาท
974-94698-6-0	: ล.5 หนังสือ+CD-Rom	199 บาท
974-94698-7-9	: ล.6 หนังสือ+CD-Rom	199 บาท

3 วิทยาศาสตร์ประถมศึกษาปีที่ 1-6
สื่อการสอนเสริมวิชาการที่นำเสนอวิธีการสอนในรูปแบบ A Multimedia อธิบายเนื้อหาทุกหัวข้อในบทเรียนอย่างละ ตัวอย่างประกอบที่เข้าใจง่ายไม่น่าเบื่อ

974-94697-6-3	: ล.1 หนังสือ+CD-Rom	1
974-94697-7-1	: ล.2 หนังสือ+CD-Rom	1
974-94697-8-X	: ล.3 หนังสือ+CD-Rom	1
974-94697-9-8	: ล.4 หนังสือ+CD-Rom	1
974-94698-0-1	: ล.5 หนังสือ+CD-Rom	1
974-94698-1-X	: ล.6 หนังสือ+CD-Rom	1

เตรียมสอบ Entrance

เพื่อการเตรียมตัวสอบ Entrance อย่างมั่นใจ

4 เติมความรู้ มุ่งสู่มหาวิทยาลัย

วิชาวิทย์กายภาพ

974-93085-2-2	: CD-Rom	150 บาท

วิชาชีววิทยา

974-93065-1-1	: CD-Rom	150 บาท

วิชาเคมี 1-3

974-93066-2-7	: V.1 CD-Rom	150 บาท
974-93066-3-5	: V.2 CD-Rom	150 บาท
974-92193-6-8	: V.3 CD-Rom	150 บาท

วิชาฟิสิกส์ 1-3

974-93065-4-6	: V.1 CD-Rom	150 บาท
974-93065-5-4	: V.2 CD-Rom	150 บาท
974-93065-6-2	: V.3 CD-Rom	150 บาท

วิชาสังคมศึกษา 1-2

974-93064-7-3	: V.1 CD-Rom	150 บาท
974-93064-6-5	: V.2 CD-Rom	150 บาท

วิชาภาษาไทย

974-93065-0-3	: CD-Rom	150 บาท

วิชาภาษาอังกฤษ 1-2

974-93065-2-X	: V.1 CD-Rom	150 บาท
974-93064-9-X	: V.2 CD-Rom	150 บาท

วิชาคณิตศาสตร์ ก 1-2

974-93065-3-8	: V.1 CD-Rom	150 บาท
974-93064-8-1	: V.2 CD-Rom	150 บาท

วิชาคณิตศาสตร์ กข 1-3

974-93065-7-0	: V.1 CD-Rom	150 บาท
974-93065-8-9	: V.2 CD-Rom	150 บาท
974-93066-1-9	: V.3 CD-Rom	150 บาท